개기일식의 모습

일식(日食) 기록으로 추정한 역대 한중일 왕조들의 실제 위치

발　행 | 2024년 3월 25일
저　자 | 박수민
펴낸이 | 한건희
펴낸곳 | 주식회사 부크크
출판사등록 | 2014.07.15.(제2014-16호)
주　소 | 서울특별시 금천구 가산디지털1로 119 SK트윈타워 A동 305호
전　화 | 1670-8316
이메일 | info@bookk.co.kr
저자 이메일 | djsm4@naver.com
ISBN | 979-11-410-7793-8

www.bookk.co.kr

목차

서문

박창범 교수가 집필한 '하늘에 새긴 우리 역사'라는 책에는, 고대인들이 남긴 일식 기록을 통해 그 나라의 실제 위치를 추정해 보려는 독특한 시도가 담겨있습니다.

그리고, 그 책에서 결과적으로 도출된 고대 삼국의 위치, 즉 신라, 고구려, 백제가 일식을 관측했던 장소는 모두 한반도를 벗어난 동북아시아 대륙으로 도출되었습니다.

필자는 해당 연구에선 다루지 않았던 조선 및 역대 중원왕조의 사례가 궁금했고, 결국 이에 대한 개인적인 연구를 시도하게 됐습니다. 역사 및 천문 관련 학위가 없는 상황에서, 전문 프로그래머의 도움만을 받아 연구를 진행했으며, 본 책에 담긴 그 결과물 역시, 제3자의 검토를 거친 것이 아님을 먼저 밝힙니다.

박창범 교수가 출판한 여러 서적 및 논문들은 필자의 연구를 진행하는 데 있어 결정적인 도움이 되었습니다. 이에 대해 교수님께 감사의 말씀을 전하고자 합니다.

일식이 발생하는 원리

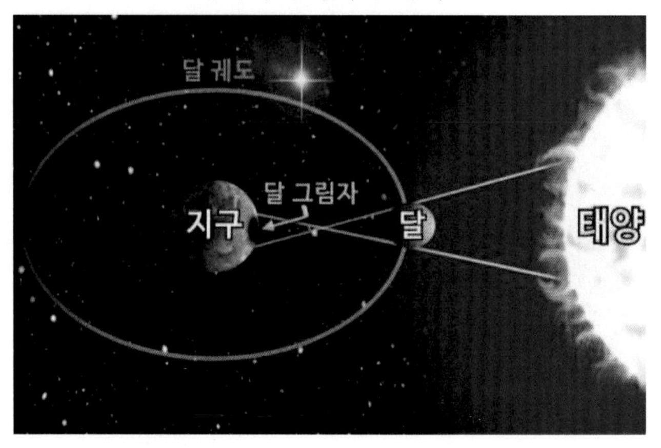

일식(日食)이란, 해가 달에 가려져 검게 변하는 현상으로, 이때 지구에는 거대한 달그림자가 드리운다. 1년에 2~3번꼴로, 지구의 특정 구간에만 나타나는 이 일식 현상은, 고대인에게는 매우 불길한 흉조임과 동시에 중대한 사건으로서, 기록될 만한 가치를 지녔다.

이에 우리 삼국을 비롯한 동북아시아의 고대 왕조들은 그러한 일식 현상을 관측하여 그들의 역사서에 날짜와 함께 기록으로 남겨놓은 것이다.

고대에 일식을 비롯한 천문관측은 일반적으로 왕이 위치한 수도에서 이루어졌다. 따라서 당시의 일식 관측이 어디에서 행해졌는지를 밝혀낼 수 있다면, 결국 그 나라 수도의 위치까지 알 수 있을 것이다.

제1화

일식기록을 이용한 고대왕조 위치찾기

#1 일식의 특별한 성질

#2 신라의 일식기록

#3 가장 잘 볼 수 있었던 지역

#1. 일식의 특별한 성질

그림1. 지역마다 다르게 보이는 일식

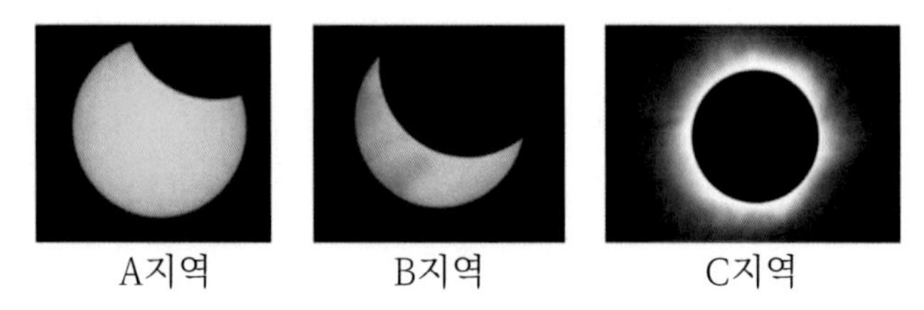

일식의 한 가지 주요한 특성은, 같은 날 발생한 일식이라 하더라도, 그것을 어디서 관측하느냐에 따라 모양이 다르게 보인다는 것이다. 정확히 말하면, 해가 최대치로 가려지는 수준이 다르다는 것인데, 위의 그림1처럼, A 지역에서는 해가 조금만 가려지다가 일식이 끝나버리지만, C 지역의 사람들에겐 해의 전체가 완전히 가려지는 이른바 개기일식이 펼쳐지게 된다.(이는, 곧 해당 일식을 아예 관측할 수 없었던 지역도 있음을 의미한다.)

일식을 이용하여 국가의 위치를 찾는 발상은, 근본적으로 이러한 일식의 특수한 성질을 이용한다. 지역마다 일식이 다르게 보인다는 말이 정확히 어떤 의미인지, 그림을 통해 다시 알아보자.

그림2. (양력)792년 11월 19일에 발생한 일식 상황도

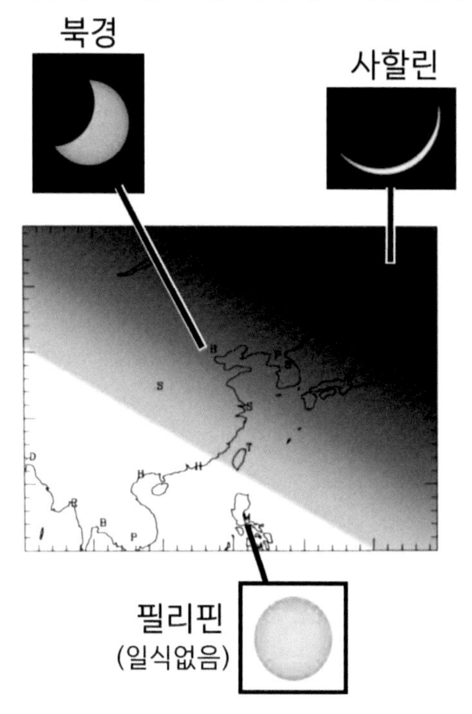

위의 그림은 어떤 K 왕조가 기록한, 792년 11월 19일자 일식이, 당시 어떤 형태로 동아시아를 지나갔는지 재현해 본 것이다. 그림의 검정색 명암으로 나타낸 것은 달그림자로서, 해당 일식이 일어날 때 대략 저런 형태의 그림자가 지나갔다. 이 그림자 영역 안에서만 해당 일식을 관측할 수 있었으며,

그 안에서도 관측자가 정확히 어디에 위치했는지에 따라 태양이 최대로 가려진 모습이 달랐다. 즉 그림2에서 그림자의 농도가 가장 짙은, 북동의 사할린 지방의 경우는 해의 대부분이 가려지는 뚜렷한 일식을 볼 수 있었으나, 그로부터 남서쪽으로 내려갈수록 해가 최대치로 가려지는 면적이 점점 줄어들게 되고, 끝내 전체 그림자 영역을 벗어나게 되면, 필리핀처럼 해당 일식을 전혀 관측할 수 없는 지역이 나온다.

여기서 한가지 알 수 있는 사실은, 바로 일식 기록이, 관측자의 위치에 대한 소정의 단서를 제공하고 있다는 점이다. 즉 관측 가능 영역에 입각해 볼 때, 상기한 792년의 일식을 관측했던 K 왕국의 천문관은, 응당 그림자 영역 안쪽에 위치했을 것이라는 단서를 얻을 수 있다. 허나, 그 정보에는 분명 한계가 있는데, 바로 관측 가능 영역이 너무 방대하다는 것. 앞서 살펴본 792년 11월 19일 일식 상황도(그림2)를 다시 보자.

그림2.

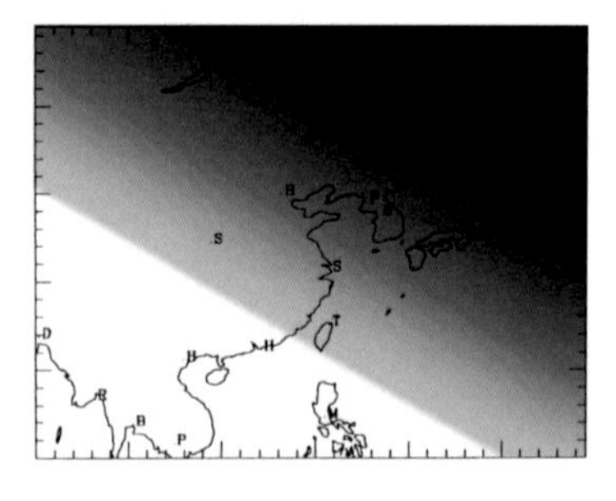

그림자가 지나갔던 영역, 즉 관측 가능 범위가 굉장히 방대하기에, 이 하나의 일식만으로는 당시 관측자의 위치를 특정해 내기가 어렵다는 것이다. 허나, K 왕국은 이 하나의 일식만을 기록한 것이 아니었다.

그림3. 808년 7월 27일의 일식 상황도

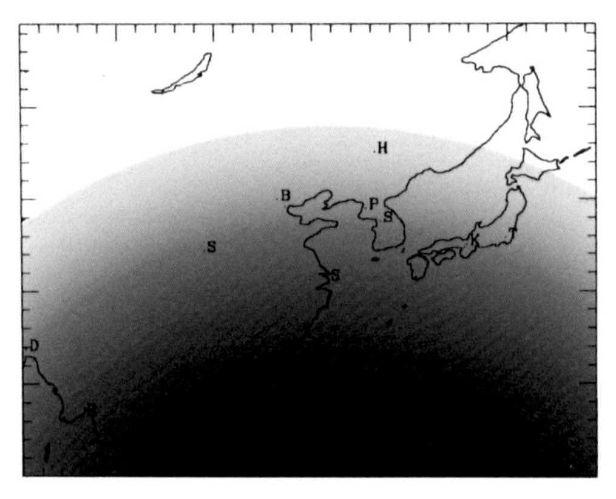

위 그림은 K 왕국이 808년에 기록한 또 하나의 일식에 대한 상황도이다. 관측 가능 영역을 보면, 지도상 북쪽 지역에선 이 일식을 볼 수 없었는데, 이것을 앞서 살펴본 792년 일식과 결부시켜 생각해 보면, 관측자의 위치가 점점 좁혀지고 있다는 사실을 알 수 있다. 즉 이전 792년 일식(그림2)이 주었던 단서는, 지도상 남서쪽 지역은 아니라는 것, 이번 808년 일식은 추가로 북쪽 지역 역시 관측자가 있던 곳이 아니라는 정황을

건네준다. 여기서 핵심은, 바로 추가적인 일식 기록이 쌓여갈수록, 관측자의 위치 역시 점차 명확해진다는 것이다. 이로부터 우리는 어떤 국가의 일식 관측지를 찾기 위한 한 가지 방법을 떠올릴 수 있게 되는데,

바로 전체 일식들이 모두 겹치는 구간을 찾는 것이다. 즉 어떤 국가가 기록한 전체 일식을 대상으로, 그림자들이 모두 겹치는 구간을 찾으면, 그곳이 바로 전체 일식을 모두 볼 수 있었던 장소이자, 실제 관측했던 장소가 될 것이다. 그럼 이 방법을 한번 신라(新羅)를 대상으로 먼저 적용해 보자. 신라가 기록한 일식 전체를 볼 수 있었던 지역은 과연 어디였을까. 역사적 상식대로, 과연 경주를 위시한 한반도 남부지역으로 도출될까?

이를 알아보기 위해서는 우선, 신라가 기록한 전체 일식 날짜를 정리해 볼 필요가 있다. 기록된 일식이 총 몇 개인지, 그리고 기록된 날짜에 실제 일식이 발생했는지와 같은, 검증 과정이 선행되어야 한다.

#2. 신라의 일식 기록

삼국사기 신라본기에 적힌 일식 기록, 즉 '이날 일식 현상이 있었다'라고 기록된 날짜는 총 29개였다.
특이하게도, 신라의 일식 기록은 긴 시간차를 두고 양분되는 모습을 보였는데, 이를 그림으로 나타내면 아래와 같다.

그림4. 신라 일식기록의 양분

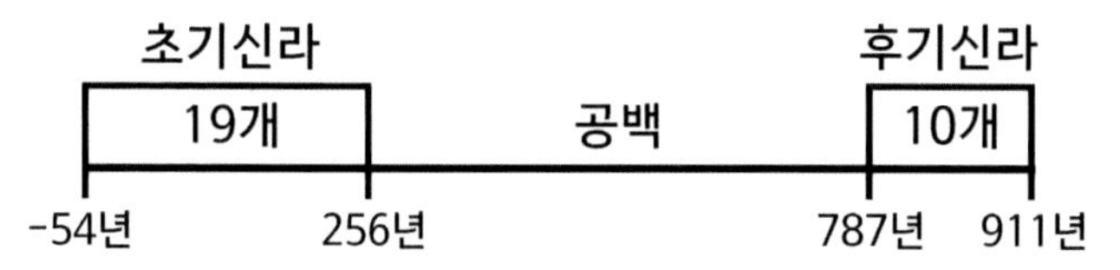

왜 이런 공백이 생겼는지는 정확히 알 수 없겠지만, 무려 500여 년간의 공백을 두고 기록이 양분되는 상황을 볼 때, 이것은 양쪽 기록의 성격 역시, 모종의 차이를 두고 있을 가능성을 시사한다.
따라서, 일식 분석의 접근 역시, 우선적으론 양쪽을 구분하여 접근할 필요성이 있다. 이 중 필자는 먼저 후기신라에 초점을 맞춰 그 관측소의 위치를 찾아보려 한다. 후기신라가 남긴 일식 날짜는 총 10개, 그런데 그 중 1개(서력 836/01/22일)는, 검증 결과 당시 동아시아에선 일식이 없었던 날이었다. 따라서 이 1개의 기록은 관측자의 실수 등 기타 여러 요인으로 인한

오기의 성격으로 볼 수 있는 것이며, 이러한 일식 날짜는 응당 본 연구에는 쓰일 수 없다. 그 1개의 오기를 제외한 9개의 일식들이 '동아시아에서 실제 발생한 일식'들이자, 본 연구에 쓰일 수 있는 '유효일식'이 된다.

그림5. 후기신라 9개 일식들의 상황도

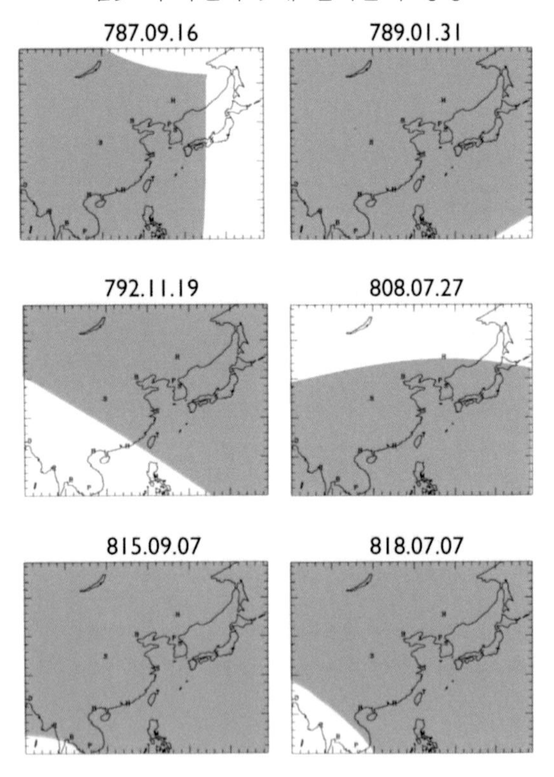

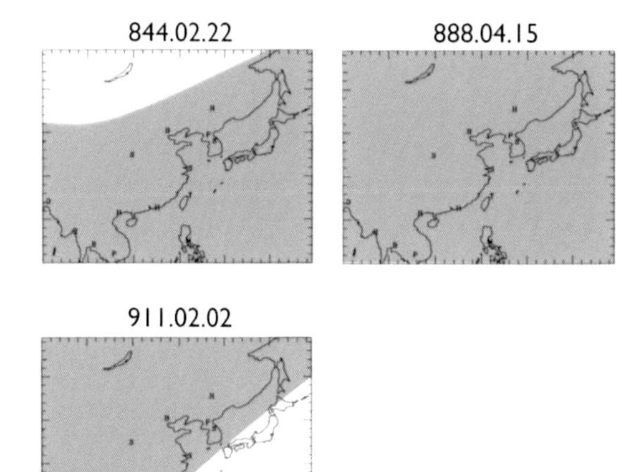

위 그림들은 후기신라 총 9개의 유효일식의 관측 가능 영역을 나타낸 것이다. (본서의 일식 날짜들은 모두 양력으로 환산된 것)
따라서 이 모두가 겹치는 영역을 도출해 보면, 9개의 일식을 관측했던 장소, 즉 후기신라 수도의 위치를 확인해 볼 수 있을 것이다.

그림6. 9개 일식이 모두 겹치는 구역

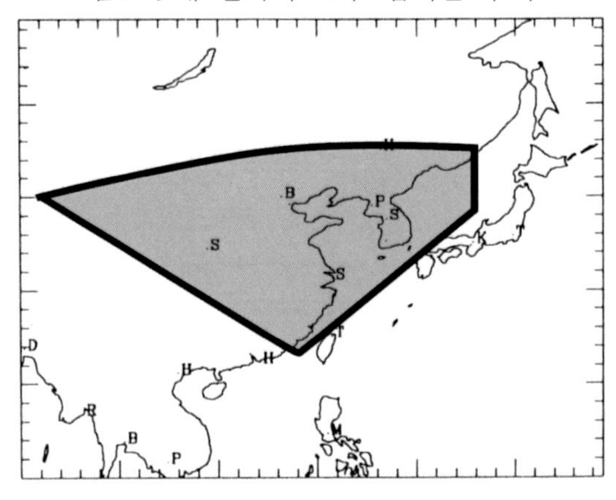

허나, 결과적으로 도출된 그 겹치는 구역은, 매우 방대하게 나온 것을 확인할 수 있는데, 이렇게 되면 후기신라 관측자의 위치를 어느 한 곳으로 특정하기가 어렵게 된다. 이런 현상이 발생한 근본적인 이유는, 애초에 개별 일식마다 동아시아를 지나갔던 영역이 매우 방대했기 때문에, 후기신라처럼 일식 개수가 9개로 비교적 적을 경우는, 그 겹치는 구간 역시 여전히 방대해진다는 것이다.

또한 이런 겹치기 방식은, 일식 기록 개수가 많아진다 해도 문제를 야기할 수 있는데, 바로 관측자의 실수에 제대로 대처할 수가 없다는 것이다. 예를 들어 실제로는 한반도에 존재했던 어떤 관측관이 착각으로 실수를 저질러서, 한반도에선 볼 수 없었던 일식 하나를 역사서에 적었고, 그것을 현시대에 와서 상황도로 확인했더니 아래와 같이 나왔다고 가정해 보자.

그림7. 한반도의 관측관이 실수로 적은 한 개의 일식

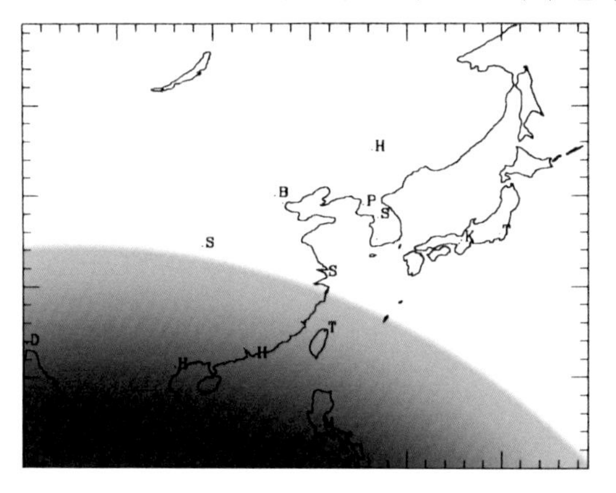

결국 이런 상태에서 겹치는 방법만으로 일식 관측자의 위치를 찾게 된다면, 결과적으로 실제 관측지였던 한반도는 반드시 배제될 수밖에 없다.
정리하자면, 겹치는 방법을 통해 관측자를 찾는 방식은 상기의 이유로 치명적인 오류를 유발할 수 있다는 것.
그렇다면 겹치기 방식이 아닌 다른 방법으로, 일식을 이용하여 수도의 위치를 찾아내는 가장 이상적인 방법은 무엇일까.

#3. 가장 잘 볼 수 있었던 지역

일식의 성질은 단순히 볼 수 있는곳, 못 보는 곳으로 구별되지 않았다. 볼 수 있는곳, 그 안에서도 일식이 잘 보이는 정도의 차이가 존재했다.

그림8. 후기신라 808년 7월 27일 일식 상황도

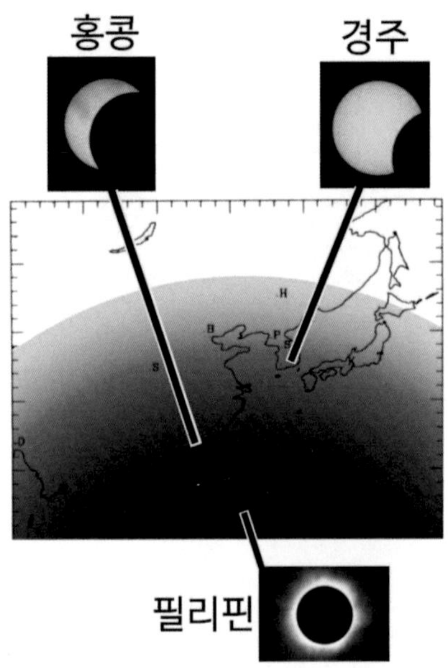

위 그림은 후기신라가 남긴 808.7.27일자 일식의 상황도이다. 지도상 가장 남쪽의 필리핀 일대가, 해당 일식을 가장 뚜렷하게 관측할 수 있었으며, 그로부터 위쪽

지방으로 올라갈수록 해가 최대로 가려지는 면적이 점차 줄어드는 모습이 보인다. 이것을 한번 당시 관측자의 입장에서 생각해보면, 해가 가려지는 면적이 커지면 커질수록, 해당 일식을 관측하여 기록에 남길 확률도 증가할 것이다. 왜냐면 해가 검게 변하는 면적이 커질수록, 해당 일식을 볼 수 있는 시간도 길어지며, 고대에 특별한 장비 없이 육안에 의지했을 관측자의 눈에 더 잘 띄었을 것이기 때문이다.

허나, 무작정 잘 보였던 지역이라 하여 그곳이 관측자의 위치라는 단정은 할 수 없다. 그림8처럼, 후기신라 808년자 일식을 가장 잘 볼 수 있었던 지역은 필리핀 일대가 맞지만, 그 위의 방대한 다른 지역에서도 나름 준수한 수준으로 일식을 볼 수 있었다.
특히 경주 지방 역시, 필리핀보단 현저히 떨어지나, 해를 가리긴 가렸기에, 후기신라의 관측자가 경주에는 없었다고 단정할 수는 없다는 것이다.
허나 앞서 한번 언급했듯, 후기신라는 이 한 개의 일식만을 기록하지 않았다. 즉 이 '잘 보였던 지역을 찾는 방법' 역시, 어떤 한 개의 일식만이 아닌, 기록된 전체 일식에 적용해 볼 필요가 있다는 것이다.
즉 후기신라가 남긴 총 9개 일식을 평균적으로 가장 잘 볼 수 있었던 지역, 다시말해 9개 일식을 골고루 가장 잘 볼 수 있었던 지역이, 다름아닌 해당 일식들을 실제 관측했던 장소일 수 있다는 것. 이것이 바로 박창범 교수가 선택했던 최종적인 방법이며, 후술할 내용은, 그가 사용한 방법에 대한 필자의 해석에 해당한다.

그렇다면 후기신라가 기록한 전체 일식을 가장 잘 볼 수 있었던 지역은 정확히 어떤 과정을 통해 계산해 낼 수 있을까? 직관적으로 생각해 보면, 전체 일식을 가장 잘 볼 수 있었던 지역은 어떠한 '수치'가 가장 높았던 지역이 될 것이다. 다시말해, 일식이 잘 보이는 수치가 가장 높아야 한다. 따라서 여기서 우리는, 일식이 잘 보이는 그 정도(해가 얼마나 검게 변했는지)를 먼저 수치화할 필요성이 있음을 알 수 있다. 이와 관련하여 천문학에서는 **식분**이라는 개념을 사용한다.

그림9. 신라 808년 7월 27일 일식 상황도

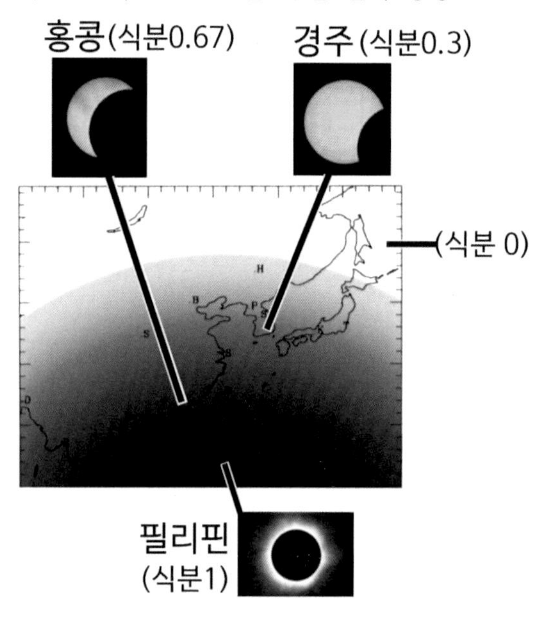

신라 808년 일식에 다시 주목해 보자. 식분값의 정확한 의미는, 해의 지름에서 검게 가려진 비율을 의미하는데, 쉽게 말해 해가 얼마나 검게 변했는지를 약 0~1 범위의 숫자로 표현한 것이다. 예를 들어 그림9에서, 필리핀 지역의 식분값은 1로, 해의 전체가 가려졌다는 것, 경주의 식분값은 0.3으로, 지름의 30%정도가 검게 변했다는 것이다.(엄밀히는 해가 최대로 가려진 때이므로 '최대'식분이라 해야하나, 편의상 '식분'으로 대체한다.)

그림9에서는 세 개의 지역만 선정하여 그 식분값을 나타냈지만, 당연하게도 그 외의 모든 좌표 지역들마다 고유의 식분값을 가지고 있다. 아래 그림과 같이 지도상 모든 좌표마다 식분값이 들어차 있다는 것이다.

그림10. 808년 7월 27일 일식 및 임의의 좌표

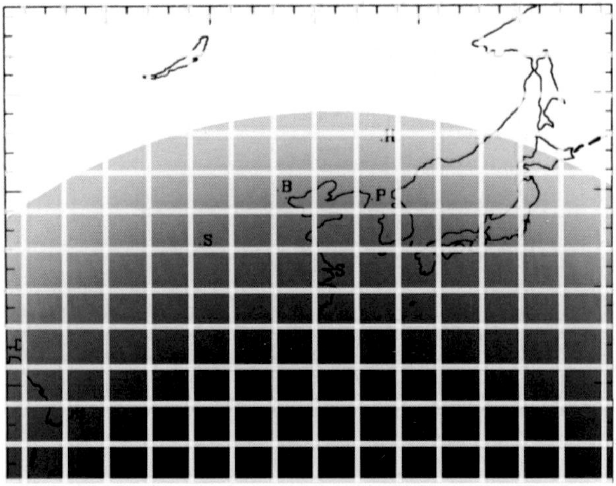

현대 천문기술은, 이 전체 좌표마다의 식분값을 모두 알 수 있게 해주고, 이것이 의미하는 바는 곧, 808년 7월 27일자 일식이, 동아시아 전역에서 어떻게 보였는지에 대한 데이터를 제공해 주고 있다. 이런 식으로 후기신라 총 9개 일식의 데이터를 모두 추출하면,

그림 11. 후기신라 9개 일식의 식분값 추출

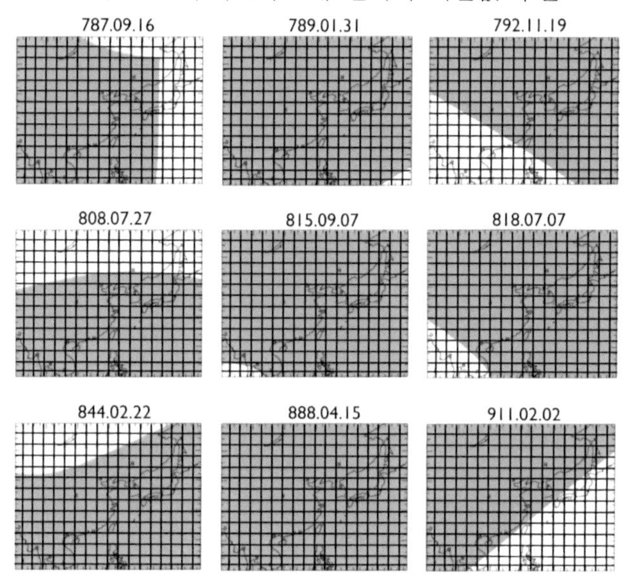

결과적으로 후기신라 9개 일식들이 각각, 전 지역에서 어떻게 보였는지에 대한 식분값 일체를 얻게 된다.
이제 마지막 단계는 이 자료값들을 평균하는 것이다. 즉 식분값으로 들어차있는 이 9개의 자료들을 하나로 합쳐 평균을 내면, 결과적으로 평균식분값으로 가득찬 하나의 지도가 완성되는데, 이를 **평균식분도**라 부른다.

그림12. 후기신라 9개 일식의 평균식분도

(출처:박창범 저 '삼국시대 천문현상 기록의 독자 관측사실 검증')

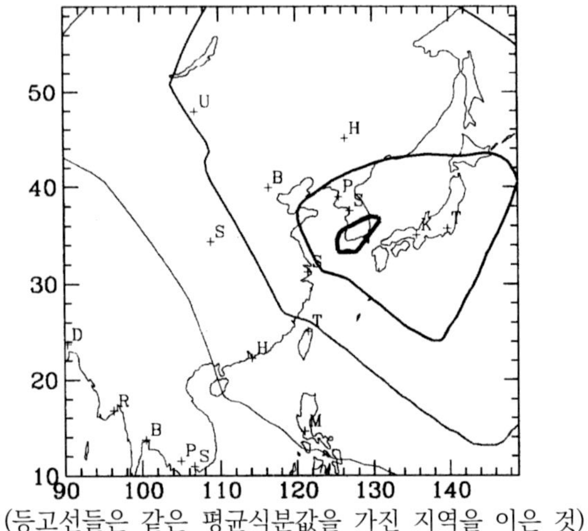

(등고선들은 같은 평균식분값을 가진 지역을 이은 것)

이 평균식분도가 뜻하는 바가 바로, 동아시아 전 지역에서 후기신라의 전체 일식이 평균적으로 어떻게 보였는지를 말해준다. 그리고 이 지도에서 가장 안쪽의 타원 지역이, 바로 평균식분값이 가장 높은(0.55) 지역으로서, **전체 일식을 가장 잘 볼 수 있었던 지역**이었다. (박창범 교수는 이러한 지역을 **최적관측지**라 명명)

결과적으로 후기신라의 전체 일식을 가장 잘 볼 수 있었던 최적관측지는, 신라의 수도였던 경주를 포함한 한반도 남부지역으로서, 이것은 고대 왕국의 실제 위치를 검증하는 데 있어, 최적관측지를 이용하는 것이 상당한 효과가 있음을 보여주고 있다.

이것은, 앞서의 '겹치기'방식에서 치명상을 유발했던 '관측관의 실수'에도 나름의 대처가 가능하다. 그때는 수도에서 실제론 볼 수 없었던 일식이 한 개만 껴있어도 치명적인 결과를 일으켰지만, 이번 평균식분도에선, 근본적으로 누적적인 '평균값'으로 승부를 보는 것이기에, 실제 관측지의 식분값이 한번 0으로 떨어졌어도, 나머지 다수의 제대로 된 일식들로부터 평균식분값이 회복될 수 있다는 것이다.

그렇다면 최적관측지의 신뢰성을 좀 더 확실히 파악하기 위해, 더 많은 국가에 이 방법을 적용해 볼 필요가 있다.
당장 후기신라의 것은 확인했으니, 다음으론 초기신라의 최적관측지를 확인해 보자. 앞서 설명했듯 신라의 일식 기록은 중간의 긴 공백 기간을 두고 양쪽으로 양립돼 있었고, 이 중 초기신라가 기록한 유효일식 개수는 총 16개였다. 과연 초기신라 역시, 전체 일식을 가장 잘 볼 수 있었던 최적관측지가, 수도 경주가 위치한 한반도 남부로 도출될까.

그림13. 초기신라 16개 유효일식의 평균식분도
(출처:박창범 저 '삼국시대 천문현상 기록의 독자 관측사실 검증')

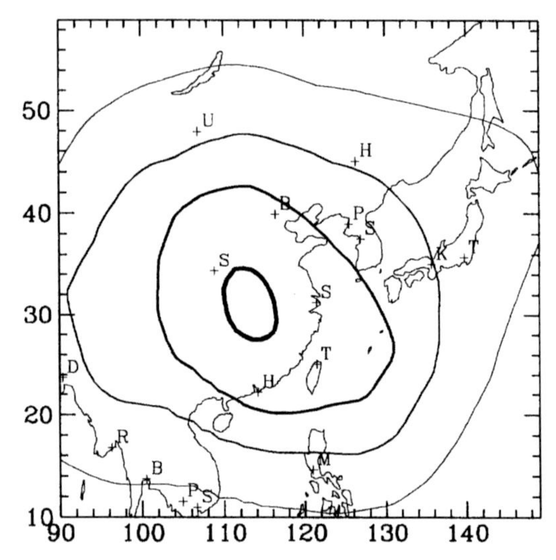

바로 이 부분부터, 이 모든 문제가 시작되게 된다.
초기신라의 전체일식을 가장 잘 볼 수 있었던 지역은, 한반도 경주 일대가 아닌, 중원대륙으로 도출됐다.
이것은 우선적으로, 일식 최적관측지라는 것은, 항상 수도와 일치하지는 않는다는 생각을 하게 한다. 왜냐면 최적관측지를 무작정 신뢰하여, 신라의 초기시대 수도가 사실은 중원대륙에 있었다는 결론을 내리기엔, 기존의 역사적 상식과는 전혀 맞지 않는 황당한 논리가 되기 때문이다. 따라서 일식 최적관측지로 그 국가의 위치를 찾는 것은, 어떠한 결함을 가지고 있다는 생각을 해볼 수밖에 없다. 즉 신라의 수도는 분명 처음부터 끝까지 한반도 경주가 맞는데, 앞서 후기신라의 경우는 경주와 일치하게 나왔으나, 이번 초기신라처럼 틀리게 나올 수도 있는, 무언가 불안정한 성질을 지닌 것이 바로 최적관측지라는 것이다.
허나 이것만으로 모든 결론을 마무리 짓기에는 몇 가지 의문점이 남는다. 정확히 어떠한 이유로 후기신라는 일치하고 초기신라는 전혀 틀리게 나온 것일까?

지금으로선 이에 대한 답을 내놓긴 어렵겠지만, 이러한 궁금증은 좀 더 다양한 사례를 확인해 볼 필요성을 제시한다. 즉 일식을 기록했던 수많은 국가들의 최적관측지는 어디로 나올까? 그들도 과연 초기신라처럼, 수도와 전혀 동떨어진 곳으로 나올까.

그림14. 다양한 사례

(출처:박창범 저 '삼국시대 천문현상 기록의 독자 관측사실 검증')

백제 평균식분도(총 20개 일식)

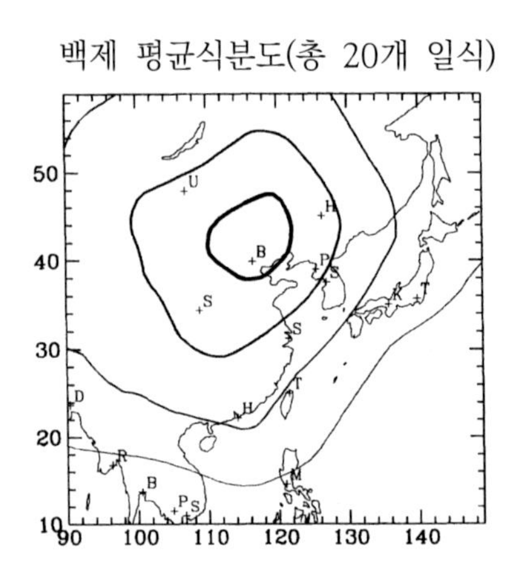

고구려 평균식분도(총 8개 일식)

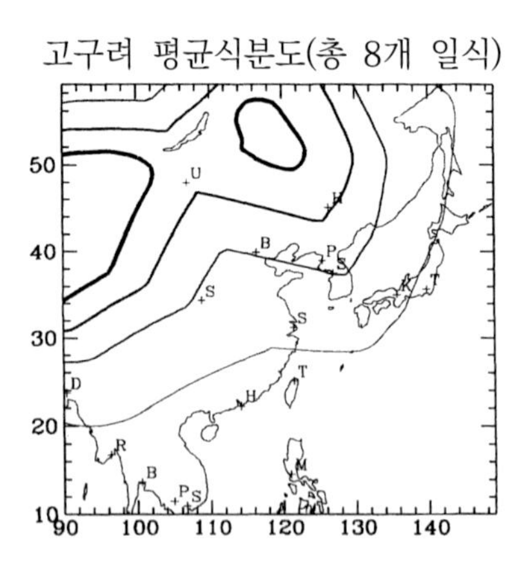

고려(王氏) 평균식분도(총 99개 일식)

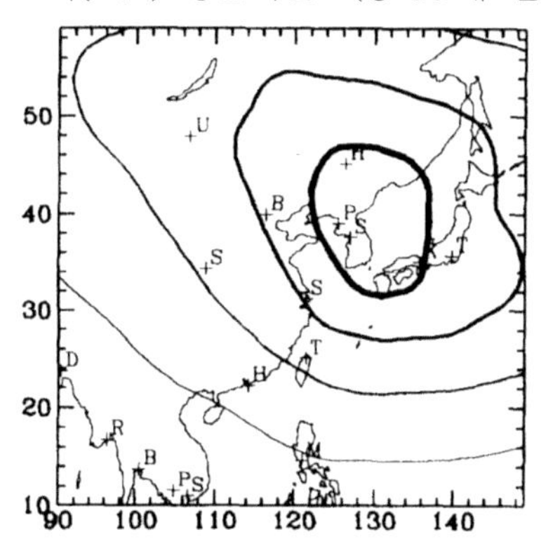

후한(後漢) 평균식분도(총 57개 일식)

(붉은 점이 수도 낙양의 위치)

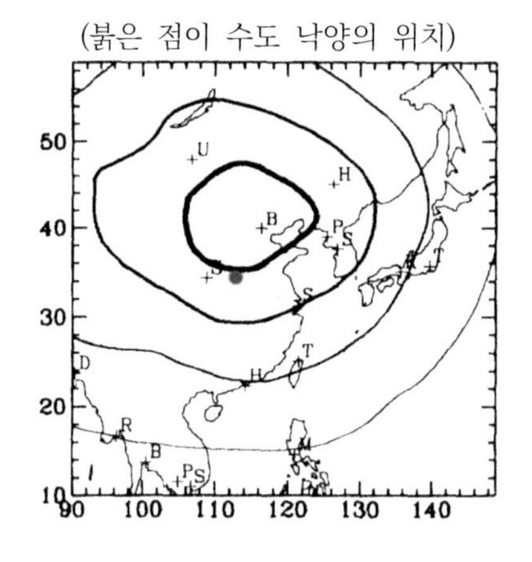

일본서기의 시대별 일식 평균식분도 6개

(출처: 박창범 저 '일본 고대 일식기록의 분석')

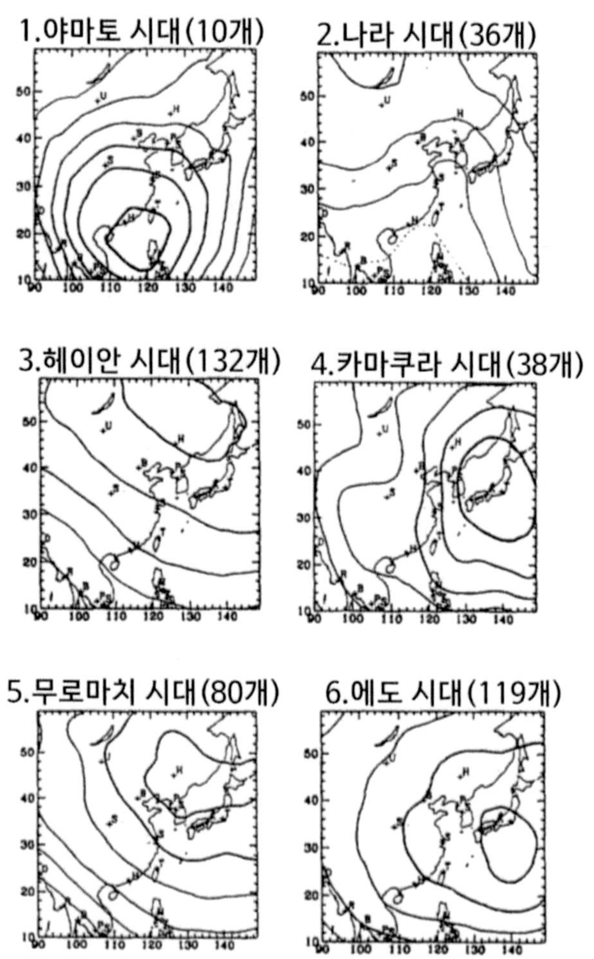

소개한 그림들은 박창범 교수가 도출하여 공개했던 모든 평균식분도이다. 신라의 것을 포함 총 12개의 이 평균식분도들을, '최적관측지와 그 수도의 일치여부' 에 따라 세 개로 분류해 보면 다음과 같았다.

1. 수도와 일치하는 경우(4개)
 - 후기신라, 고려, 일본 카마쿠라, 에도시대

2. 수도와 불일치하는 경우(4개)
 - 초기신라, 백제, 후한, 일본 야마토시대

3. 수도와 불일치하며, 최적관측지의 형태도 흐트러져 있는 경우(4개)
 - 고구려, 일본 3개 시대(나라,헤이안,무로마치)

우선 여기서 3번 사례를 보자. 3번에 해당하는 4개의 평균식분도는, 엄연히 최적관측지와 수도가 일치하진 않았지만, 최적관측지 및 평균식분도의 모양이, 한곳으로 확실히 집중되지 못하고 넓게 퍼져버린다. 이런 현상에 대해 박창범 교수가 그의 논문에서 밝힌 의견을 인용하면, 평균식분도가 이처럼 흐트러지는 원인으론,

- 일식 기록이 매우 적기 때문이거나,
- 한곳이 아닌 여러 장소에서 관측을 했거나
- 실제 관측해서 적은 것이 아닌 계산된 일식기록

의 경우로 보았다. 다시말해, 이 〈최적관측지=수도〉 논리는, **'어떤 국가가 한 장소에서 꾸준히 실측해야만'** 한다는 일종의 전제 조건이 요구되며, 그러한 전제 조건을 충실히 이행할수록, 동심원이 퍼져나가는 형태의 균일한 평균식분도를 보인다는 것이다.
그리고 앞서 3번 유형에 속했던 국가들은, 그러한 조건을 위배했기 때문에, 결과적으로 집중성이 떨어지는 평균식분도 및 최적관측지가 나왔다는 것이며, 그러한 불안정한 형태의 최적관측지로 수도의 위치를 판별하는 것도 별 의미를 가지지 못한다는 것이다.

쉽게 말해 평균식분도의 형태가 헝클어질수록, 수도를 찾아내는 최적관측지의 그 적중률 역시 함께 떨어진다는 것. 박창범 교수의 이 논리가 타당한지 여부와는 별개로, 필자는 3번 유형과 같이 집중성이 떨어지는 평균식분도들은, 본 연구의 주 대상에선 제외하려 한다.
필자의 입장에서 가장 주요한 쟁점이었던 초기신라의 평균식분도가, 일단은 균일한 동심원을 띠고 있었기에, 우선적으로 이 기준에 맞는 평균식분도만을 한데 모아 비교해 볼 필요가 있었기 때문이다.

이런 관점 아래, 집중성이 떨어지는 3번 사례를 제외한 1번, 2번 사례만을 다시 보자.

1. 수도와 일치하는 경우(4개)
 - 후기신라, 고려, 일본 카마쿠라, 에도시대

2. 수도와 불일치하는 경우(4개)
 - 초기신라, 백제, 후한, 일본 야마토시대

결론적으로, 최적관측지와 그 수도가 일치했던 사례는 8개 중 4개로서, 이는 50%의 정확성을 가졌다고 볼 수 있는데, 이것은 계속되는 의문점을 남기게 된다.
이 최적관측지라는 것이, 초기신라의 사례처럼 수도를 한참이나 벗어난 엉뚱한 곳으로도 나올 수 있는, 불안정한 것이라면, 어째서 50%나 되는 정확성을 가지고 있는 것일까. 즉 〈최적관측지=수도〉 논리가 만약 근본적으로 엉터리에 가깝다면, 분명 50%보다 더 떨어진 정확성이 나와야 했다는 것이다.

또한 한 가지 추가적인 의문은, 1번과 2번 사례에 해당하는 국가들을 한번 시대순(건국순)으로 나열한 뒤, 그 〈최적관측지=수도〉 일치 여부를 O,X로 나타내면 다음과 같았는데,

그림15. 국가별 최적관측지/수도 일치 여부

위 도표에서 확인할 수 있듯이, 8세기(700년대)라는 시점을 기준으로 그 일치 여부가 극명하게 갈리고 있는 것이 보인다. 이것은 그저 우연한 현상일까. 아니면 특정 원인이 작용한 그 결과가 드러난 것일까.
이에 대한 여러 가설들을 세워보는 것도 가능은 하겠지만, 아직은 시기상조이다. 그저 8개의 사례만으로 연구의 방향을 결정하기에는 무리가 있다는 것이다.
따라서 앞으로 무엇을 해야 할지가 비교적 명확해지는데, 더 많은 사례, 더 많은 국가들의 것을 확인해 볼 필요가 있다. 즉 일식 기록을 남겼던, 역대 한중일 모든 국가들의 평균식분도들을 가만히 놓고 들여다볼 때, 어떠한 소정의 결과를 얻을 수도 있지 않을까.

이에 필자는, 박창범 교수가 도출하지 않았던 동아시아 국가들, 정확히는 조선과, 중원 역대 국가들의 평균식분도를 도출하기 위한 작업을 시작했다.

제2화

평균식분도 도출 작업

필자가 가장 먼저 접근했던 것은 박창범 교수였다. 그의 저서에 남겨진 이메일 주소를 통해 연락을 시도했고, 혹시 외부에 공개하지 않은 평균식분도가 있는지를 물었다. 이에 돌아온 답변은, 과거엔 모두 도출했었으나, 지금은 자료가 남아있지 않다는 것이었다.
이에 필자는 직접 평균식분도를 도출하기 위한 방편을 마련하던 과정에서, 일정 수준 이상의 프로그래밍 작업이 요함을 알게 됐고, 이에 전문 프로그래머를 고용하여 외주의 형태로 해당 작업을 진행하게 됐다.
(kmong.com에서 활동했던 프로그래머, ID: shlee1990)

필자가 진행했던 상세한 작업 과정은 다음과 같다.

step1. 날짜 확보

역대 국가들의 일식 평균식분도를 도출하기 위해선 당연하게도, 그 국가들이 기록한 일식 날짜들을 모두 알아야 한다. 필자는 **박창범 저 '동아시아 일식도'**를 통해 그 모든 일식 날짜들을 확보할 수 있었다.

그림16. 박창범 저 '동아시아 일식도' 26p

韓中日 三國 日蝕關聯記錄表

記錄								西曆			備考
中國	韓國			日本	月	日	干支	年	月	日	
漢	新羅	百濟	高句麗								
明帝永平 6					6	30	庚辰[丙戌]	63	8	13	
8					10	30	壬寅	65	12	16	(漢)既
13					(7)	29	甲辰	70	9	23	
16		多婁王 46			5	30	戊午	73	7	23	(百)戊午晦
18					11	30	甲辰	75	12	26	
章帝建初 5					2	1	庚辰	80	3	10	
6					6	30	辛未	81	8	23	
章和 1		己婁王 11			8	30	乙未	87	10	15	(百)乙未晦
和帝永元 2					2	(2)	壬午	90	3	20	
4		16			6	1	戊戌	92	7	23	
7					4	1	辛亥	95	5	22	
12					7	1	辛亥	100	8	23	
15					4	30	甲子	103	6	22	
安帝永初 1					3	2	癸酉	107	4	11	
3					3	-	-	109	-	-	
5					1	1	庚辰	111	1	27	
7			【高句麗】		4	30	丙申	113	6	1	
元初 1			太祖 62		3	1	癸酉	114	5	3	
1					10	1	戊子	114	11	15	
2					9	30	壬午	115	11	4	
3			64		3	(2)	辛亥	116	4	1	
4					2	1	乙巳	117	3	21	(漢)七郡以聞
5					8	1	丙辰	118	9	3	
6					12	1	戊午	120	1	18	(漢)既
永寧 1					7	1	乙酉	120	8	12	
延光 3	祇摩尼師今 13		72		9	30	庚寅[申]	124	10	25	(新·高)庚申晦
4					3	1	戊午	125	4	21	
順帝永建 2	16				7	1	甲戌	127	8	25	
陽嘉 4					8	1	丁亥	135	9	25	(漢)舂陵以聞
永和 3					12	1	戊戌	139	1	18	
5					5	30	己丑	140	7	2	
6	逸聖尼師今 8				9	30	辛亥	141	11	16	(新)辛亥晦
桓帝建和 1					1	1	辛亥	147	2	18	(漢)郡國以聞
3			次大王 4		4	30	丁卯	149	6	23	
元嘉 2					7	2	庚辰	152	8	19	(漢)不見
永興 2					9	1	丁卯	154	9	25	
永壽 3					5	30	庚辰	157	7	24	(漢)郡國以聞
延熹 1			13		5	29	甲戌	158	7	13	
8		蓋婁王 38	20		1	30	丙申	165	2	28	(百)丙申晦
9	阿達羅尼師今 13				1	1	辛卯	166	2	18	(新)辛亥朔
永康 1					5	30	壬子	167	7	4	
靈帝建寧 1					5	1	丁未	168	6	23	
1					10	30	甲辰	168	12	17	

'동아시아 일식도'에는, 주나라의 기원전 8세기 일식부터 시작하여 조선시대까지, 한중일 역대 왕조들의 일식 기록들이 모두 정리돼 있었다. 허나, 이 일식 날짜들을 그대로 다 사용할 수는 없었는데, 앞서 한번 설명했듯,

사서에 기록된 일식 날짜 중엔, 실제 동아시아에선 발생하지 않았던 일식(무효일식)도 껴있음으로, 검증을 통해 그러한 날짜들은 모두 제외하고, (검증에 이용한 사이트:http://xjubier.free.fr) 최종적으로 남은 783개의 유효일식만을 대상으로 연구를 진행한 것이다.

step2. 식분값 확보

이렇게 유효일식만을 선별하여 국가별로 취합하게 되면 (본서의 마지막 '부록편'에 모든 날짜 소개), 다음은 개별 일식들의 식분값을 확보해야 한다.

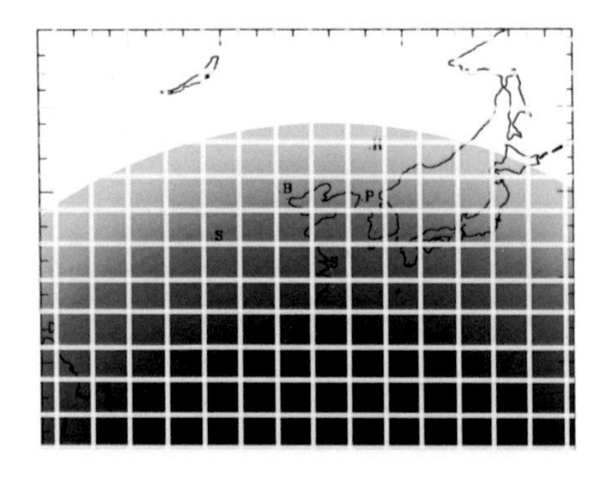

앞서 한번 설명했듯, 평균식분도라는 최종 결과물을 도출하기 위해선, 먼저 개별일식들의 좌표별 모든 식분값들이 필요하다. 박창범 교수는 분명 실제 식분값들을 확보할 수 있었겠지만, 필자가 처한 상황에서 선택할

수 있었던 최선은, 박창범 저 '동아시아 일식도'에 수록된 또 다른 자료, **개별 식분도**를 이용하는 것이었다.

그림 17. 808년 7월 27일 일식 식분도
출처-박창범 저 '동아시아 일식도'

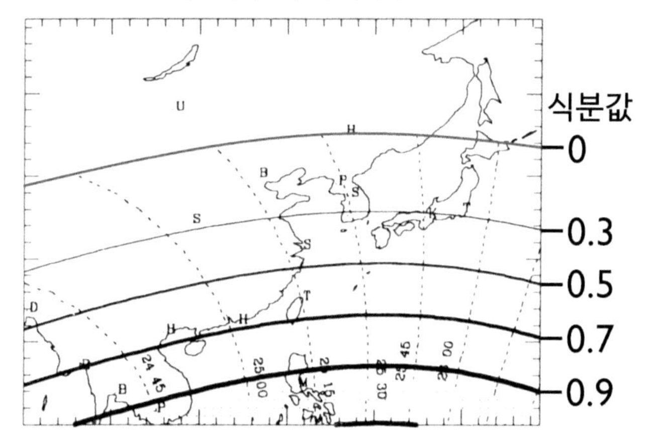

위의 그림은 기존에 그림자 영역으로만 나타냈던 관측 가능 영역을, 식분값 등고선을 이용해, 보다 더 정교하게 표현한 '식분도'라는 그림이다. 표시된 등고선들은 같은 식분값을 가진 지역들을 한데 이은 것으로서, 맨 우측엔 각 등고선에 해당하는 식분값이 적혀있다.
예를 들어, 그림 하단부에 위치한 식분 0.9인 등고선이 지나가는 선 지역은 모두 0.9라는 높은 식분으로 일식을 볼 수 있었으며(개기일식에 가까운) 점차 윗 지역으

로 올라갈수록 식분값이 점차 줄어들고 있는 양상을 보인다. 당연하게도, 등고선들의 그 사이사이 공간 역시 실제론 식분값들이 모두 존재한다. (점진적으로 증감하는 형태) 즉, 이 식분도라는 것은, 전체적인 식분값의 분포 및 그 변화가 어떤 식으로 돼 있는지 쉽게 알 수 있도록 보여주는 그림이기에, 바로 이 식분도를 기준 삼아 전체 좌표의 식분값을 직접 생성한 것이다.

그림18. 식분도와 임의의 좌표

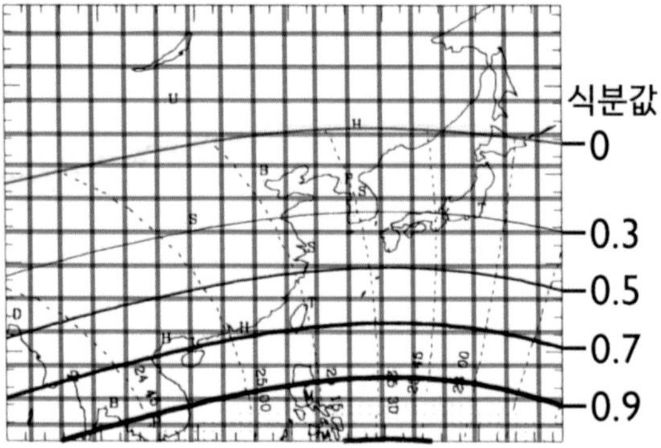

(실제 격자는 경도/위도 모두 0.2도 간격으로 더 세밀하다)

물론 이 방법은 한가지 맹점이 있다. 그림에서 식분값이 명시된 등고선(0.3, 0.5, 0.7, 0.9)이 지나가는 지역은 그 정확한 식분값을 알 수 있으나, 등고선과 등고선

사이의 공간은 나름의 추정에 의한 식분값을 생성해야 한다. 물론 그 값들은 마치 그라데이션처럼, 점진적으로 증감하는 형태임은 알 수 있으나, 좌표별 그 정확한 실제 식분값은, 추정치와는 분명 차이가 있을 것이다.

허나 식분값이 확실한 등고선들이 마치 골격처럼 전체적인 분포의 균형을 이미 잡아주고 있기에, 그 사이의 값들은, 실제와 비슷하게 점진적으로만 넣어준다면, 최종 도출될 평균식분도의 형태 역시 실제와 큰 차이를 보이지 않을 것이며, 뒤에 기술할 박창범 본과의 비교 검토에서도 거의 동일한 형태를 띠었다.

결과적으로 등고선 사이사이의 식분값들은 프로그래머의 설정값에 맡기고, 좌표 격자의 크기는 x위도 y경도 모두 0.2도 간격으로 하여 좌표별 모든 식분값을 생성했다.

그림19. 생성 완료된 하나의 개별일식(808.7.27)

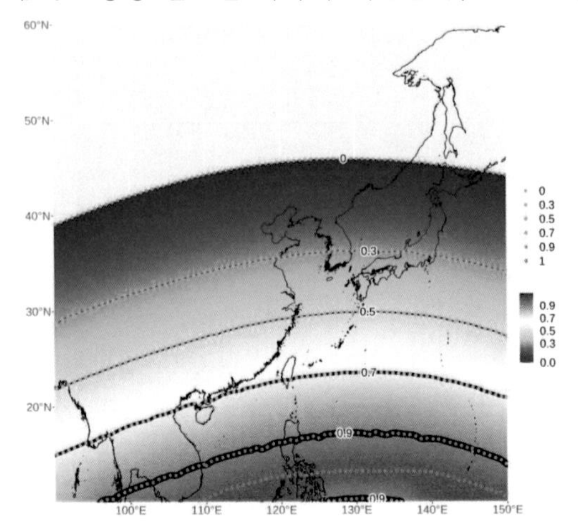

위 그림은 프로그래머가 식분값이 제대로 생성됐는지 검증하기 위해 식분값의 변화를 색으로 표현, 결과적으로 자연스러운 색의 변화를 가지는지 확인한 것이다. 즉 그림에서의 색의 점진적 변화는, 필자가 원했던 점진적 형태의 식분값들이 들어차 있음을 나타낸다.

필자가 가장 먼저 착수한 국가는 초기신라였다. 박창범 교수의 평균식분도와, 외주본을 비교함으로써, 작업 결과물의 신뢰성을 테스트하기 위함이었다. 초기신라의 경우 16개의 유효일식을 기록했으므로 16개 식분도에 대한 좌표별 식분값을 모두 생성했다.

그림20. 초기신라 16개 일식 식분값 생성

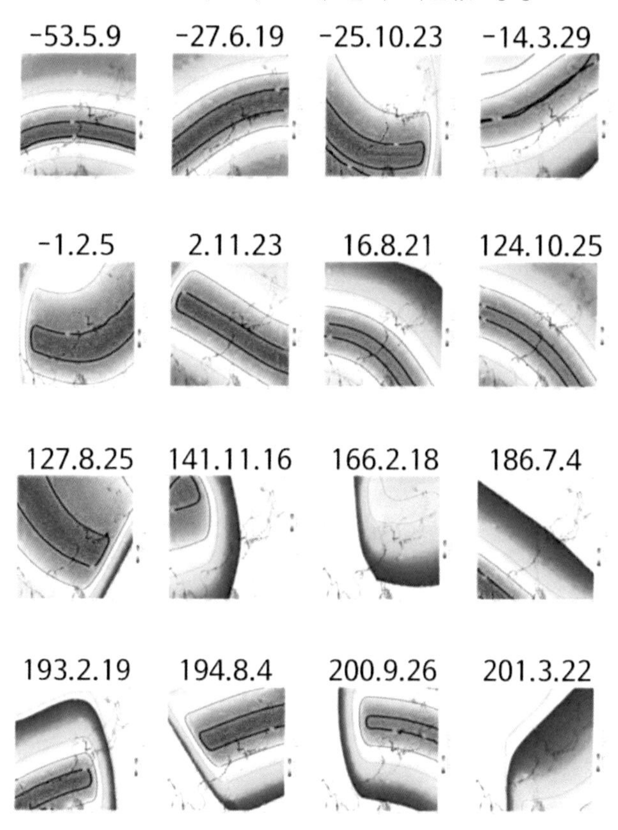

이제 남은 단계는, 이 16개의 식분값 데이터를 하나로 평균시켜 평균식분도를 도출하는 것. 결과적으로 얻어진 초기신라의 평균식분도는 다음과 같았다.

그림21. 외주본 초기신라 평균식분도

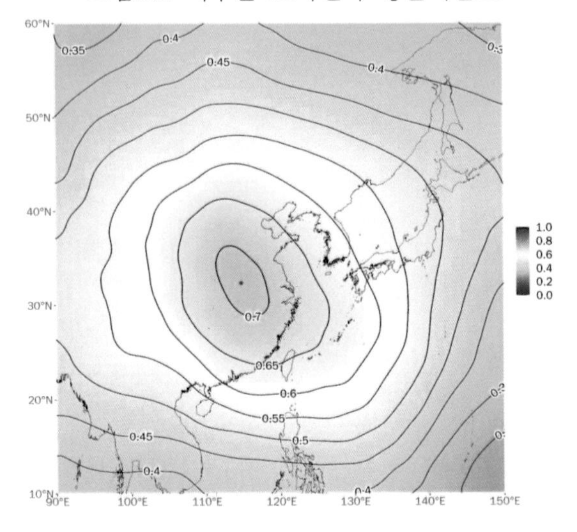

박창범 교수본 초기신라 평균식분도

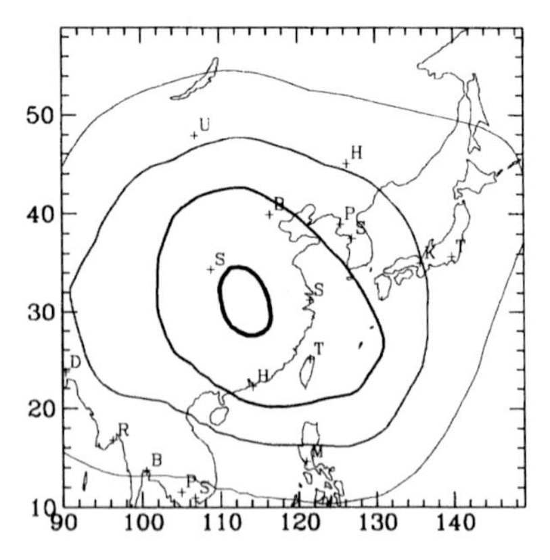

최적관측지의 크기 및 위치가 조금 변했지만, 그것이 본질을 왜곡할 정도의 수준은 되지 못했다. 최대평균값 역시 외주 본은 0.711로서, 박창범 본의 0.71과 같은 맥락을 유지했다. 추가적인 검증을 위해 이번엔 후기신라와 고구려를 비교 대상으로 삼았고, 이를 위해 후기신라 및 고구려의 개별 일식 식분도들을 프로그래머에게 전달했다.

그림22. 고구려 8개 일식 식분도

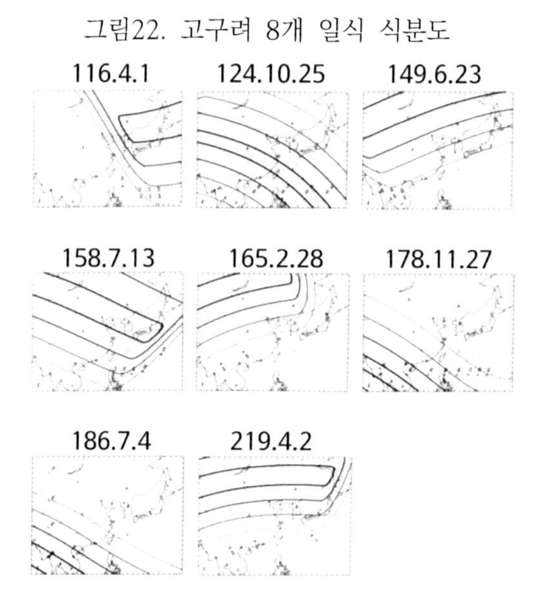

결과적으로 도출한 두 국가의 평균식분도는 다음과 같았다.

그림23. 외주본 후기신라 평균식분도

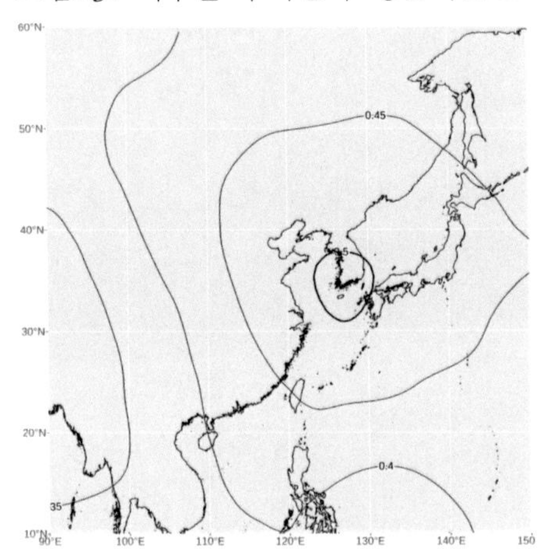

박창범 본 후기신라 평균식분도

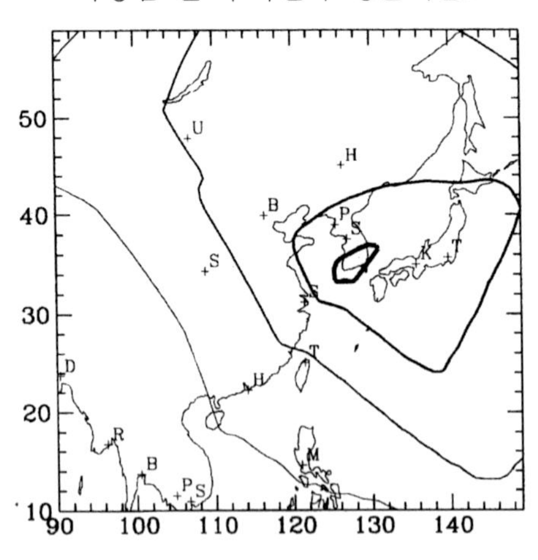

그림24. 외주본 고구려 평균식분도

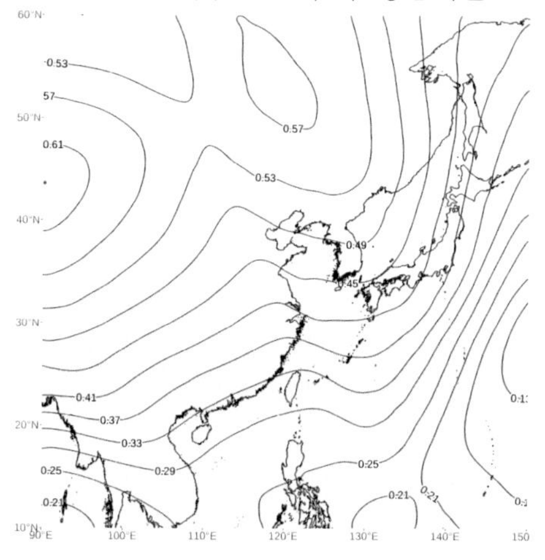

박창범 본 고구려 평균식분도
(외주 본의 우하단 등고선이 박창범 본에서 생략돼 있다.)

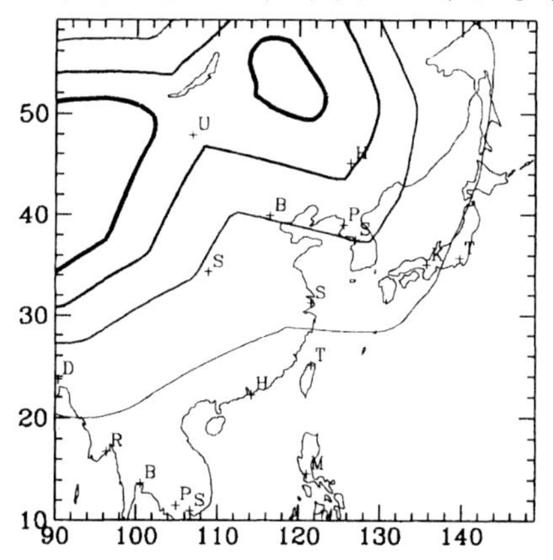

두 국가 역시 미세한 차이는 있었으나, 본 연구에 있어 핵심인, 최적관측지의 위치적 측면은 서로 같은 맥락을 유지함을 확인할 수 있었고, 이에 본격적으로 역대 국가들의 평균식분도를 도출하기 시작했다. 다만, 앞으로 소개할 평균식분도들은, 앞서의 신라와 고구려와는 달리, 박창범 교수 본이 존재하지 않았기에 비교 대상이 없었으므로, 프로그래머가 도출한 평균식분도의 신뢰성을 검증할 또 다른 방법이 요구됐다.

이에 필자는 직접 일식 재현 사이트(http://xjubier.free.fr)를 이용하여, 외주본 평균식분도에 대한 최소한의 검증을 진행했다. 예를 들어, 프로그래머가 도출한 A국가의 평균식분도가 다음과 같은 형태였다고 가정할 때,

그림25. 외주본 A 국가의 평균식분도

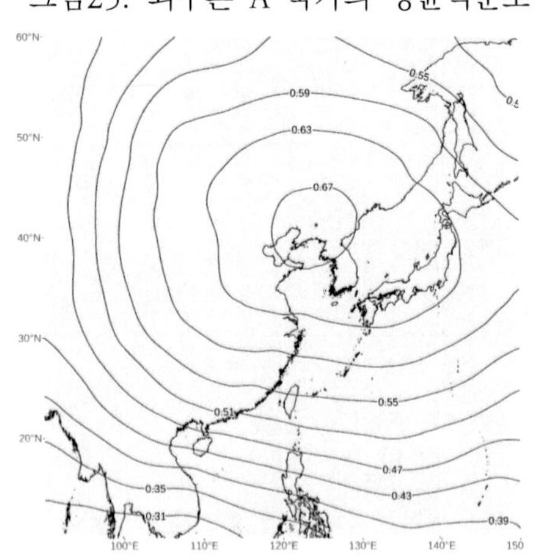

여기서 최적관측지의 위치가 과연 올바르게 나왔는가를 검증하기 위해, 최적관측지 안에서 1개, 바깥에 3개의 지역을 임의로 선정했다.

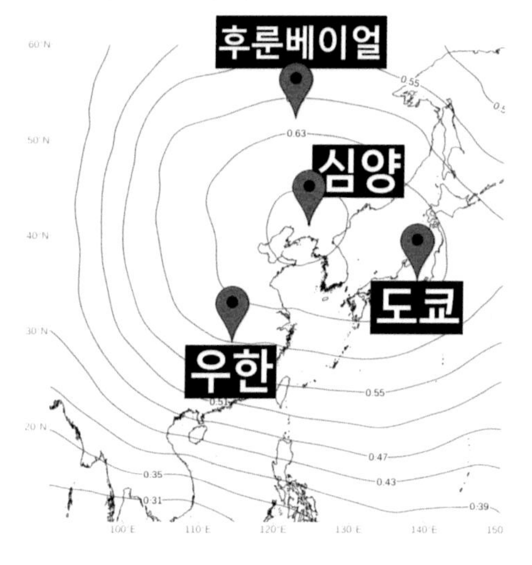

이것이 올바른 최적관측지라면, 최적관측지 안에 위치한 '심양'지역의 평균식분값이 단연 가장 높아야 한다. 이를 검증하기 위해 지역별 실제 평균식분값을 확인, 서로 비교해 본 것이며, 확인에 사용한 사이트는 상기한(http://xjubier.free.fr)이다.
가령, A 국가가 총 5번의 일식을 기록했고, 그 중 1번의 일식(194년 8월 4일자)의 심양 지역 식분값은 다음과 같이 확인할 수 있다.

그림26. 194년 8월 4일자 일식의 심양지역 식분값

(Magnitude at maximum 이 최대식분값)

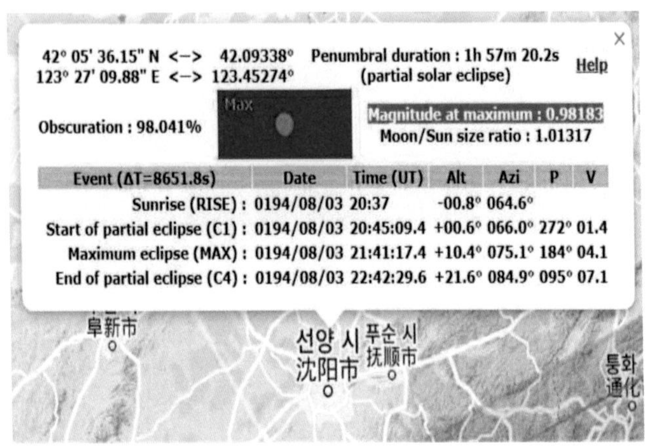

이런식으로 총 5번의 일식에서 4개의 지역들이 가지는 식분값을 모두 확인했을 때, 다음과 같은 도표를 완성할 수 있고,

그림27. 4개 지역별 식분값 및 평균

도시명	우한	심양	도쿄	후룬베이
식분값	0.05	0.98	0.23	0.40
	0.71	0.80	0.80	0.91
	0.94	0.70	0.85	0.78
	0.20	0.27	0.31	0.15
	0.82	0.59	0.55	0.31
평균	**0.54**	**0.67**	**0.55**	**0.51**

실제로도 심양 지역(최적관측지)의 평균식분값이 가장 높았는지를 확인해 볼 수 있는 것이다. (참고로 이 사이트에선 보안상의 이유로 좌표별 식분값 추출은 불가했다.)

결과적으로 필자가 확인한 모든 평균식분도에 있어, 그 최적관측지의 평균식분값은, 선정된 지역 중 가장 높은 수치를 가지고 있음을 확인했다. 물론 이런 검토 방식은 한계가 있다. 전체 모든 좌표마다 확인을 한 것이 아닌, 몇 개 도시만을 선정해서 한 축약적인 검토이기에, 선을 넘는 수준의 왜곡은 사전 차단할 수 있어도, 평균식분도의 그 전체적인 디테일까지는, 필자의 검증 영역이 닿지 않았던 부분임을 밝힌다.

이제, 도출된 그 모든 평균식분도를 나열할 차례다.
한중일 역대 왕조들의 평균식분도는 총 47개였는데, 이 중 박창범 교수가 도출했던 12개를 제외한 나머지 35개의 평균식분도를 나열한다.

이는 총 26개의 국가(한국 왕조는 조선 하나이며, 나머지는 모두 중원왕조)에 해당하는 것으로, 국가마다 수도를 옮기는 경우까지 반영했을 때 최종적으로 총 35개의 평균식분도가 도출된 것이다.

나열 순서는 현대에서 과거순으로서, 조선을 시작으로 주나라의 기원전 8세기 일식까지이다.

제3화

조선, 그리고 역대 중원왕조 일식 평균식분도 나열

조선(한양수도) 평균식분도

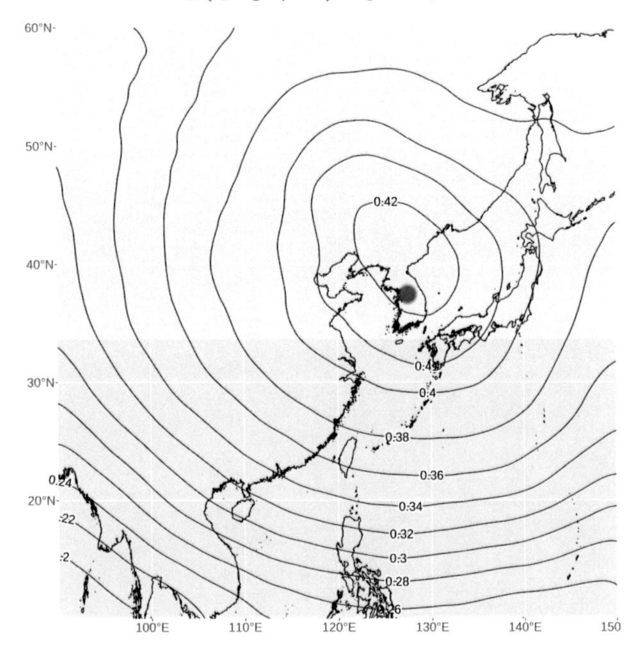

(앞으로 수도의 위치는 그림처럼 붉은색으로 표시)

조선 (한양 시대) 평균식분도 정보

- 수도 존속기간: 1394~1399년, 1405~1910년 (512년)
- (평균에 쓰인)총 유효일식 개수 : 192개
- 최대 평균식분값: 0.4249224
- 최적관측지로 설정한 평균식분값: 0.42
- 최적관측지-수도 일치여부: 일치

추가적인 정보

평균식분도 정보에 적힌 '최대평균식분값'과 '최적관측지로 설정한 식분값'에 대한 설명을 하고자 한다. 조선 최적관측지(0.42선)안쪽에도 응당 평균식분값들이 존재하는데(아래 그림), 여기서 붉은 점으로 표시한 지역이 바로 그 안에서도 평균식분값이 가장 높은 지점(최대평균값)으로서, 바로 이 지점을 기반으로 최적관측지의 크기를 설정한다. 즉, 일종의 수도의 위치를 찾기 위한 오차범위를 설정하는 것으로서, 박창범 교수가 제시한 설정 방법은, 평균식분값의 증감 속도가 현저히 느려지는 구간까지를 최적관측지로 설정하는 것이다.(최대평균값과 큰 차이가 없는 영역) 그림에서 보듯 필자가 최적관측지로 설정한 0.42선 안쪽은, 평균값의 변화가 소수점 셋째 자리 수준으로 아주 느리지만, 0.42선 바깥쪽부터는 같은 간격에서도 그 변화가 매우 빨라짐(소수점 둘째 자리 수준으로)을 알 수 있다. 다만 이 방식은, 정확히 어디까지가 느린 구간인지를 결정하는 데 있어 주관성이 개입될 수 있기에, 필자는 소수점 둘째 자리를 기준으로 최적관측지를 설정했다.

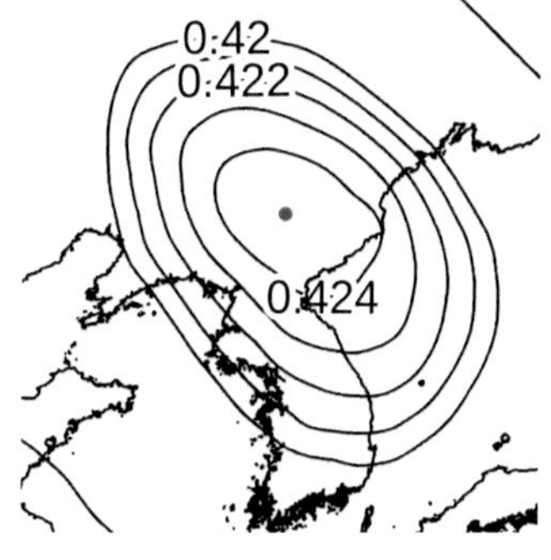

조선(개경수도) 평균식분도

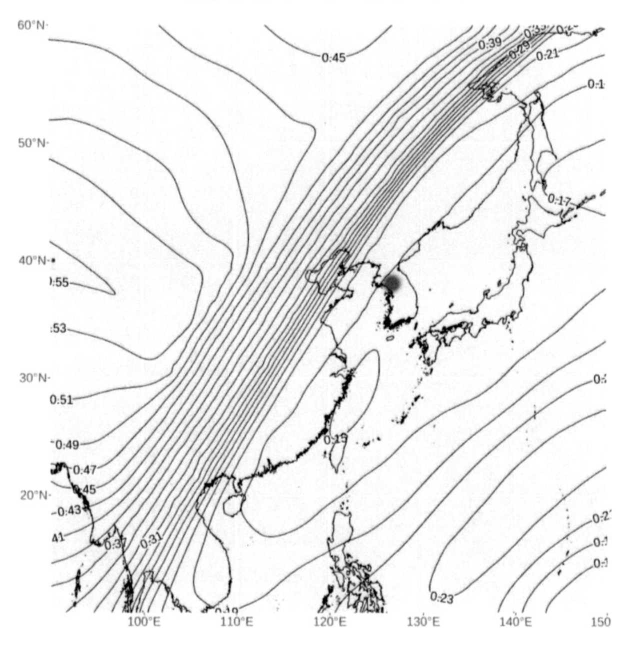

조선 (개경 수도시대) 평균식분도 정보

- 수도 존속기간: 1392~1394년, 1399~1405년 (10년)
- 총 유효일식 개수 : 3개
- 최대 평균식분값: 0.5570651
- 최적관측지로 설정한 평균식분값: 0.55
- **미결집 평균식분도로 판정**

추가 정보

이전 한양시대와는 다르게, 전체적인 평균식분도의 집중성과 균형이 무너져 있는 것이 보인다. 앞서 한번 언급했듯, 이러한 평균식분도는 최적관측지의 정확도를 검증하는데 쓰일 수 없는, 미결집 사례로 분류한다. 즉 평균식분도의 형태가 무너질수록, 그 최적관측지 역시 실제 수도를 온전히 반영치 못한다는 것이다.

다만 본서에는 참고의 의미로서 이러한 미결집 사례들도 모두 나열된다. 개경 조선 평균식분도의 균형이 무너진 가장 큰 이유는, 그 일식 개수가 3개로 매우 적었기 때문일 것이다.

개경 조선 3개의 일식 식분도

청나라(북경수도) 평균식분도

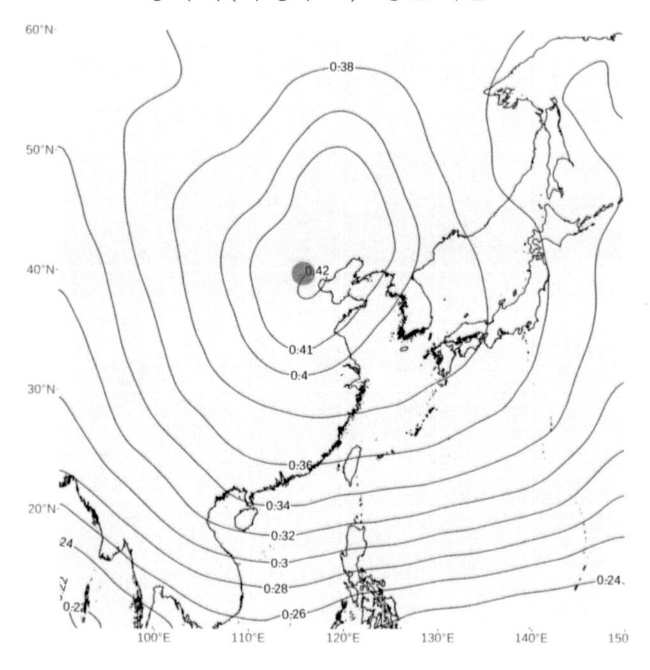

청나라 (북경 수도시대) 평균식분도 정보

- 수도 존속기간: 1644 ~ 1912년 (269년)
- 총 유효일식 개수 : 110개
- 최적관측지로 설정한 평균식분값: 0.42
- 최적관측지-수도 일치여부: 일치

추가 정보

청나라 평균식분도의 전반적인 결집도는 상당히 양호하다. 이처럼 평균식분도의 모양이 동심원이 퍼져나가는 형태에 가깝다는 것은, 청나라가 기록한 110개 일식의 평균적 성질이, 북경에 가까울수록 잘 보이고, 북경에서 멀어질수록 보기 어려웠던 일식이었다는 것이다.
결과적으로 청나라의 평균식분도는, 한양조선과 더불어 〈최적관측지=수도〉논리의 신뢰성을 높인 사례다.

한편, 청나라가 기록한 110개의 유효일식 중에 수도 북경에서는 볼 수 없었던 일식이 20개로서, 약 18%의 불순율을 기록했다.(전체 유효일식 중 수도에서 볼 수 없었던 일식의 비율을 '불순율'로 정의한다.)
이는, 한양조선(17%)과 비슷한 수치로, 두 국가 모두 그 나머지 다수의 일식들이 수도로 결집 되면서, 결과적으로 최적관측지가 수도의 위치를 온전히 반영할 수 있었다고 판단된다.

참고로 청나라의 전신인 후금시대와, 청나라의 첫 번째 수도인 심양시대의 일식기록은 존재하지 않았다.
(박창범 저 '동아시아 일식도' 기준)

명나라(북경수도) 평균식분도

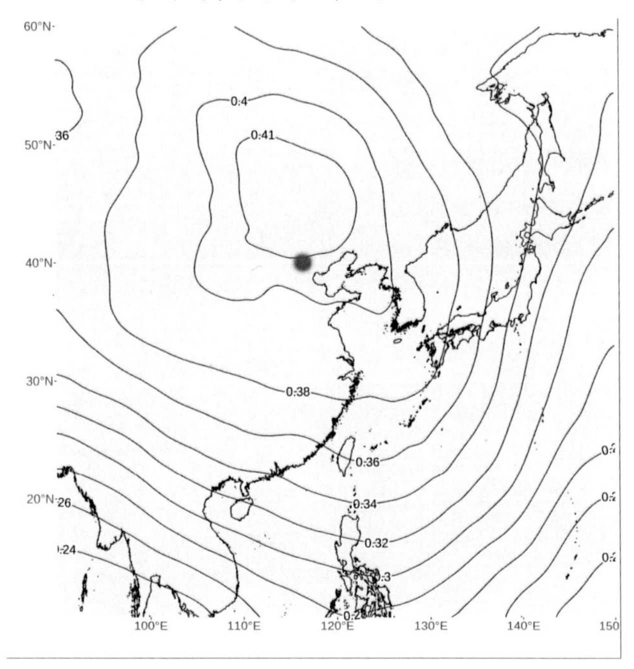

명나라 (북경 수도시대) 평균식분도 정보

- 수도 존속기간: 1421 ~ 1644년 (224년)
- 총 유효일식 개수 : 88개
- 최대 평균식분값: 0.4207651
- 최적관측지로 설정한 식분값: 0.41
- 최적관측지-수도 일치여부: 불일치

추가 정보

명나라 북경 시대 평균식분도는 안정적인 균형을 유지하고 있으나, 그 최적관측지는 수도 북경의 위치를 벗어난다. 따라서 이번 명나라의 사례는, 〈최적관측지=수도〉 논리의 신뢰성을 떨어뜨리는 첫 번째 사례로 볼 수 있다.

다만 한가지 유념할 것은, 이번 명나라의 평균식분값 전개 양상은, 조선과 달리 최적관측지 내부로 진입하면서도 특별히 감속되는 모습을 보이지 않았다.
다시말해 이것은, 명나라 일식의 집중 강도가, 조선보다는 상당히 느슨한 수준이었음을 나타냄과 동시에, 최적관측지를 정확히 어디까지로 설정해야 하는지에 대한 문제 역시 발생 될 수 있다. 다만 필자의 기준으론 수도 북경을 포함할 정도로 오차범위가 커지기는 어렵다고 판단, 결과적으로 수도와 최적관측지가 불일치한 사례로 분류했다.

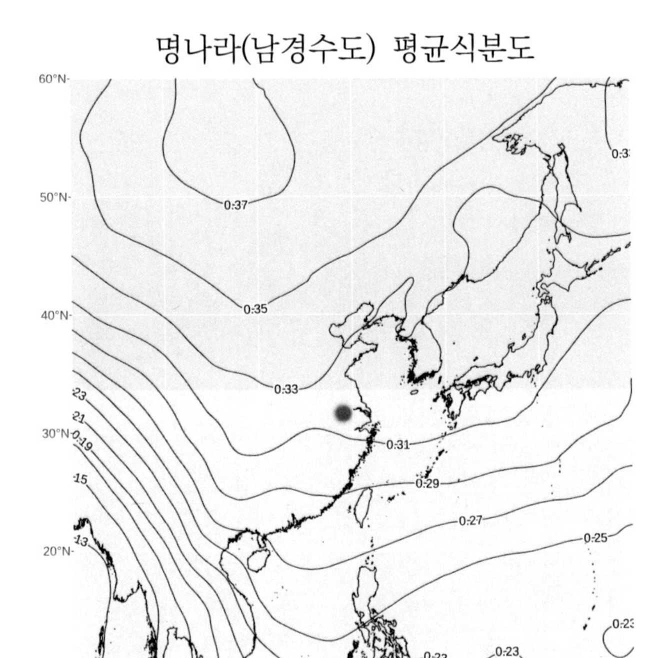

명나라 남경(난징) 수도시대 평균식분도 정보

- 수도 존속기간: 1368 ~ 1421년 (54년)
- 총 일식 개수 : 25개
- 최대 평균식분값: 0.378
- 최적관측지로 설정한 식분값: 0.37
- **미결집 평균식분도로 판정**

추가 정보

명나라 남경시대 평균식분도는 제대로 된 결집을 형성하지 못한 채 넓게 퍼져버린다. 즉 이번 사례는 개경조선과 같은 미결집 평균식분도로서, 그 최적관측지(0.37선) 역시 별다른 의미를 갖지 못할 것이다.

한편, 명나라 남경시대의 일식개수는 25개로서, 균일한 결집을 형성했던 초기신라(16개)보다도 더 많은 수에 해당한다. 그럼에도 불구하고, 이 정도의 낮은 결집을 보인다는 것은, 남명시대 일식 관측에 어떤 문제가 있었을 가능성도 생각해 볼 수 있다. 가령, 남명의 일식 중 그 수도에서는 볼 수 없었던 불순율이, 전체 25개 중 7개로서 28% 수준인데, 이는 비슷한 시대의 조선(17%)과 청나라(18%)에 비해 상당히 높아진 수치다.

원나라 평균식분도

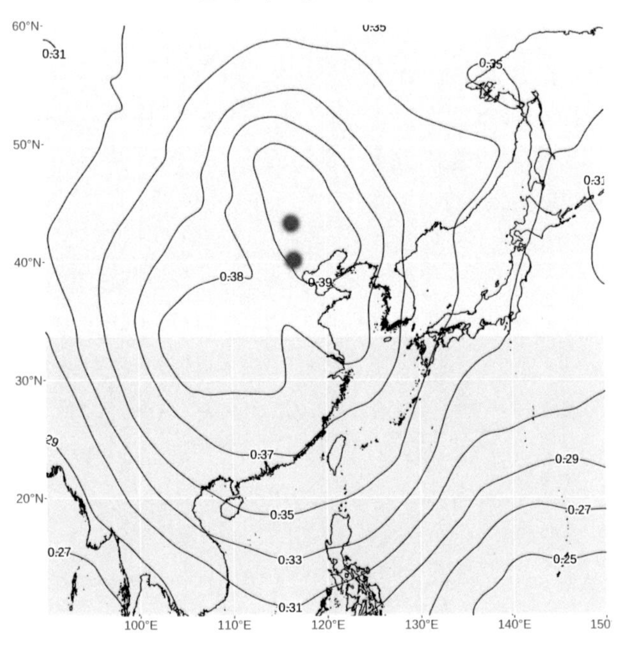

원나라 2개 수도(대도/상도)시대 평균식분도 정보

- 수도 존속기간: 1271 ~ 1368년 (98년)
- 총 유효일식 개수 : 43개
- 최대 평균식분값: 0.3978496
- 최적관측지로 설정한 식분값: 0.39
- 최적관측지-수도 일치여부: 일치

추가 정보

원나라의 경우는 계절에 따라 2개의 수도를 번갈아 가며 운영했는데, 겨울엔 대도(북경), 여름엔 상도(제나두)가 그것이다. 두 수도의 위치가 상당히 가까웠기 때문에, 일식 날짜를 굳이 계절에 맞춰 양분하지 않고, 전체 43개의 일식을 그대로 한 번에 평균했다. 그 결과는 그림에서 보듯, 대도와 상도를 모두 포함하는 영역으로 최적관측지가 형성됐다.

평균식분도의 전반적인 균형을 보면, 최적관측지 바로 다음의 0.38 등고선이 다소 흔들리는 형태를 보이나, 전체적인 결집도가 유지되고 있으므로 연구에 유효한 최적관측지로 판단된다.

송나라(임안수도) 평균식분도

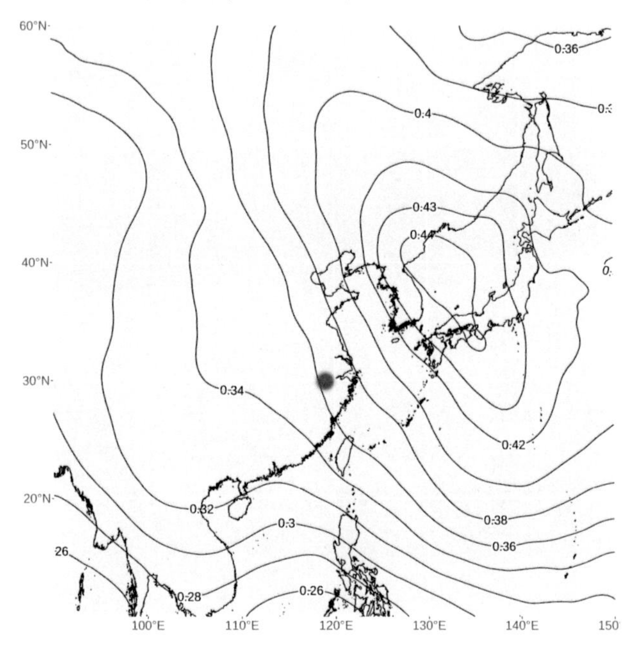

송나라 임안(항저우) 수도시대 평균식분도 정보
- 수도 존속기간: 1127 ~ 1276년 (150년)
- 총 유효일식 개수 : 57개
- 최대 평균식분값: 0.44385
- 최적관측지로 설정한 식분값: 0.44
- 최적관측지-수도 일치여부: 불일치

추가 정보

이번 남송의 평균식분도는, 등고선의 전개 양상에 있어 균형적이기보단, 상하로 퍼져나가는 모습을 보인다. 다만 이것만으로는 미결집 평균식분도로 배제하기는 어렵기에, 연구에 유효한 사례로 분류하였다.

결과적으로 남송 평균식분도의 그 최적관측지는, 수도였던 항저우를 멀리 벗어나므로, 최적관측지와 수도가 상당히 크게 불일치한 사례이다.

남송의 최적관측지가 이와 같이 도출된 가장 큰 이유로는 '불순율'을 생각해 볼 수 있다. 총 57개의 일식 중 17개가, 당시 수도인 항저우에서는 볼 수 없었으며 이는 전체의 30% 수준에 달하는 수치이다.

송나라(개봉수도) 평균식분도

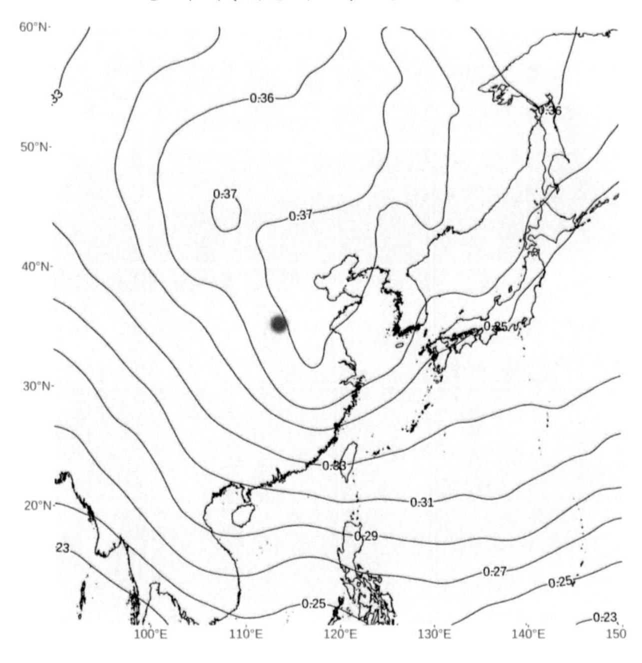

송나라 개봉(카이펑) 수도시대 평균식분도 정보

- 수도 존속기간: 960 ~ 1127년 (168년)
- 총 유효일식 개수 : 69개
- 최대 평균식분값: 0.3739
- 최적관측지로 설정한 식분값: 0.37
- **미결집 평균식분도로 판정**
-

추가 정보

이번 북송 시대 평균식분도는 고구려의 평균식분도와 비슷하게, 그 최적관측지(0.37선)가 두 영역으로 나뉘어 형성됐다. 또한 그중 우측의 영역은 상당히 방대하며, 그 형태 역시 균일하지 못하다. 이에 이번 북송의 평균식분도는 미결집 사례로 판정하였다.

북송의 일식 69개중 그 수도 카이펑에서 볼 수 없었던 일식은 11개로서, 16%의 불순율을 기록했다. 이것은 지금까지의 국가들에 비해 특별히 높은 수치는 아니였지만, 그럼에도 최적관측지의 결집도가 이처럼 떨어지는 것은, 그 나머지 84% 일식들의 수도 결집성이 비교적 약했기 때문으로 판단된다.

금나라(남경수도) 평균식분도

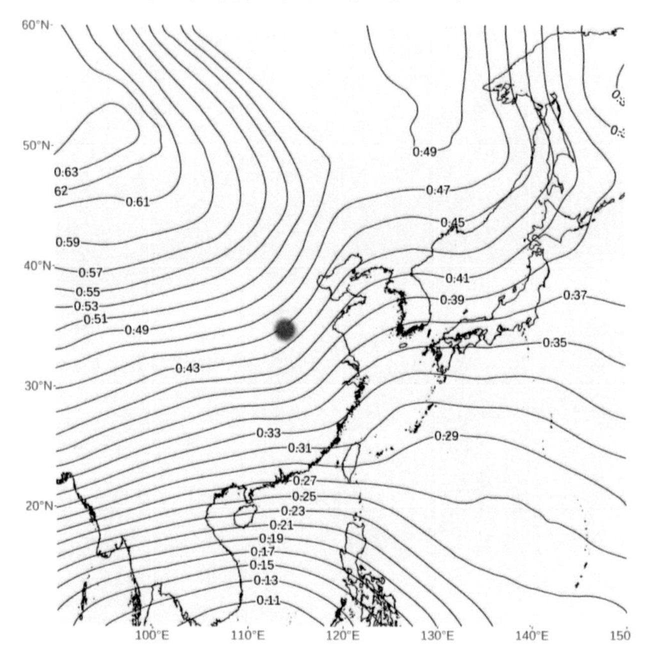

금나라 남경(카이펑) 수도시대 평균식분도 정보

- 수도 존속기간: 1214 ~ 1232년 (19년)
- 총 유효일식 개수 : 7개
- 최대 평균 식분값: 0.6354
- 최적관측지로 설정한 식분값: 0.63
- **미결집 평균식분도로 판정**

추가 정보

금나라는 크게 세 번의 천도를 단행했고, 이번 평균식 분도는 그중 가장 마지막 수도에 해당하는 남경(카이펑)시대의 것이다.

전체적인 평균식분도의 형태가 조악하여 제대로 된 결집을 보여주지 못하고 있어, 그 최적관측지 분석의 의미도 퇴색된다. 이처럼 균형이 무너지게 된 가장 큰 이유는, 전체 일식의 개수가 7개로 매우 적었기 때문일 것이다. (참고로 7개 중 1개는 당시 수도였던 카이펑에서 관측할 수 없었다.)

그렇다면, 개별일식의 개수가 적으면 무조건 평균식분도의 형태가 무너지는가에 대한 의문이 생길 수 있다. 허나 일본 야마토시대(10개)나 후기신라(9개)의 사례를 볼 때, 일식 개수가 적어도 나름의 준수한 균형을 유지하는 경우가 존재한다. 따라서, 일식 개수는 일종의 환경으로서, 일식 개수가 적을수록 집중을 형성하는데 불리한 환경은 맞지만, 해당 국가들이 어떤 일식을 선택하느냐에 따라 그 결과는 달라질 수도 있을 것이다.

금나라(중도시대) 평균식분도

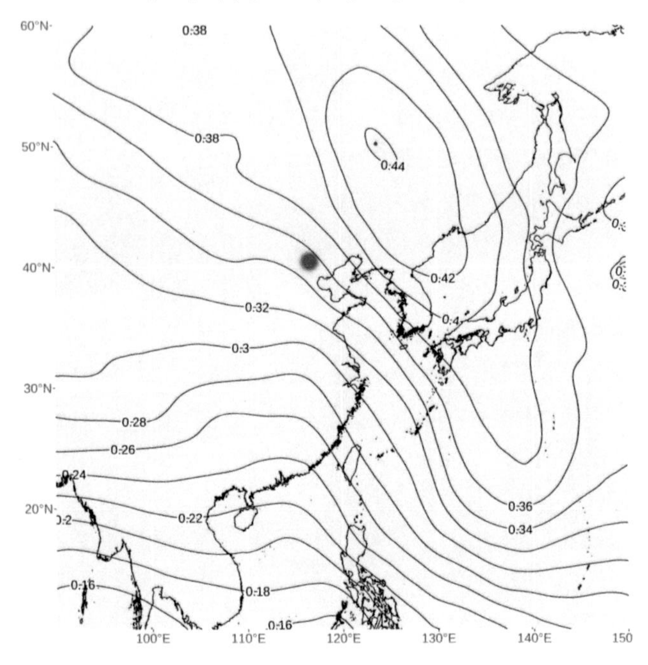

금나라 중도(베이징) 수도시대 평균식분도 정보
- 수도 존속기간: 1153 ~ 1214년 (62년)
- 총 유효일식 개수 : 21개
- 최대 평균식분값: 0.4411
- 최적관측지로 설정한 식분값: 0.44
- **미결집 평균식분도로 판정**

추가 정보

이번 금나라 중도시대의 경우는 남경시대에 비해 그 집중성이 다소 향상되긴 했지만, 여전히 제대로 된 균형을 형성하진 못하고 있기에 미결집 사례로 분류하였다.

앞서 살펴본 남경시대의 일식 개수가 7개로 매우 적었던 것에 비해, 이번 중도시대의 일식은 그보다 많아진 21개임에도, 여전히 제대로 된 결집을 형성하지 못하고 있다. 참고로 이번 중도시대 총 21개의 일식 중 5개는, 그 수도(베이징)에서는 관측할 수 없었다.

금나라(상경시대) 평균식분도

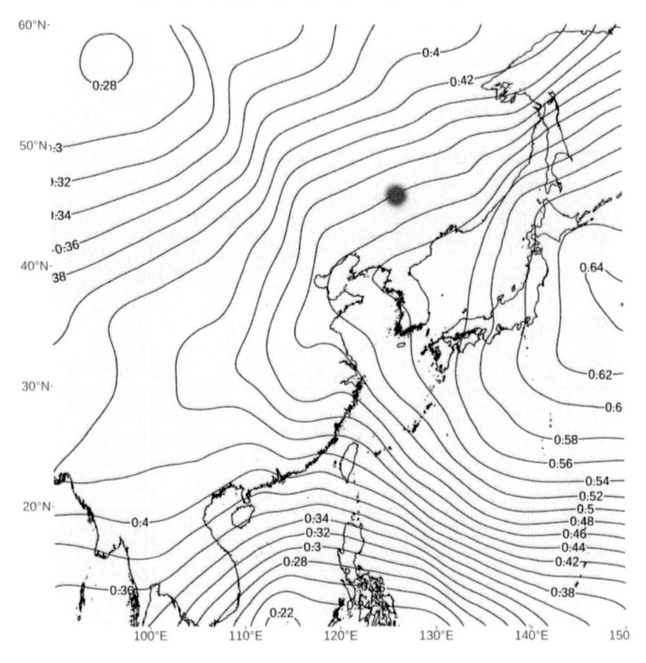

\# 금나라 상경(하얼빈)수도 시대 평균식분도 정보

- 수도 존속기간: 1115 ~ 1153년 (39년)
- 총 유효일식 개수 : 10개
- 최대 평균식분값: 0.6429
- 최적관측지로 설정한 식분값: 0.64
- **미결집 평균식분도로 판정**

추가 정보

여전히 전반적인 균형이 무너져 있어, 최적관측지의 정확성 검증 사례에서는 제외된다.

한편 이번의 금나라 상경시대 일식 수는 총 10개로서, 이는 후기신라의 9개보다도 1개가 더 많다. 그럼에도 후기신라는 비교적 준수한 균집을 보인 반면, 금나라는 여전히 낮은 수준의 결집을 보인다.

그렇다면 두 국가의 일식에 정확히 무슨 차이가 있었던 것일까? 먼저 불순율을 살펴보면, 두 국가의 수도에서 볼 수 없었던 일식 비중은, 금나라(상경시대)는 10개중 2개(20%), 후기신라는 9개중 1개(11%)였다. 이는 극단적인 차이라고는 볼 수 없지만, 애초에 전체 일식의 개수가 매우 적은 상황에선, 한두 개의 오기 차이도 상당한 영향력을 미치게 될 것이다..

추가로, 상기한 두 국가의 개별 식분도들을 검토한 결과, 한가지 눈에 띄는 차이점을 발견할 수 있었는데, 바로 '개별일식의 다양성'과 관련된 부분이었다. 먼저 후기신라 9개 일식의 경우는, 일식이 지나가는 형태들이 거의 매번 달랐는데, 다음 그림에서 확인 할 수 있듯이,

후기신라 9개 일식 식분도

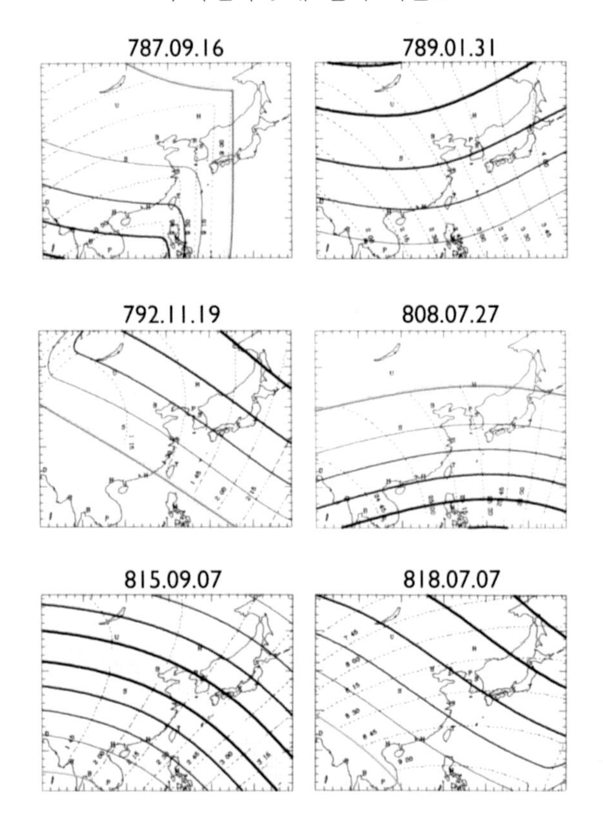

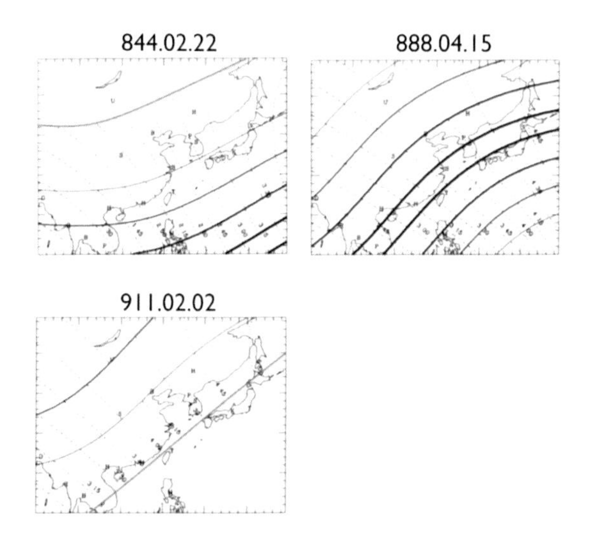

중심 등고선(가장 굵은 등고선)을 기준으로 볼 때, 동아시아 전 지역을 편중 없이, 골고루 감싸고 도는 형태의 다채로운 일식이 지나갔다. 이러한 개별일식 형태의 다양성은, 평균식분도의 집중성을 끌어올리는 주된 요소가 될 수 있다. 왜냐하면, 다양한 형태의 개별일식들이 평균됐다는 의미는 곧, 결과적인 평균식분값의 분포 역시 전 지역에 걸쳐 고르게 분포될 수 있는 환경을 조성해 준다. 이런 상황에서, 필연적으로 식분값을 계속 안정적으로 누적하는 한 곳이 생기기 마련인데, 바로 전체 일식을 실제 관측했던 장소가 그것이다. 전체 일식을 실제 관측했던 장소는, 일식의 형태가 매번 바뀌는 것에 상관없이 꾸준하게 준수한 식분값을 얻었을 것이므로, 결과적인 평균치를 확인했을 때 결국 실제 관측지 일대가, 가장 높은 평균식분값을 가질(최적관측지) 확률이 높다는 것. 또한 이러한 평균식분도의 그 형태는, 동심원이 퍼지는 안정적인 모습을 보일 것이다.

다시말해, 평균식분도가 가지는 동심원 수준의 균일한 결집 모양은, 일식의 다양성(형태)과 일관성(관측지)이 공존할 때 생겨나는 현상으로도 볼 수 있다. 만일 어느 국가의 일식 개수가 충분히 많으면, 일식의 다양성은 자연스럽게 충족될 것이나, 일식 개수가 적은 구간에선, 후기신라처럼 최대한 개별일식들의 형태가 달라야 한다. 허나 금나라 상경 시대의 것은 보는 것과 같이,

금나라 상경시대 10개 일식 식분도

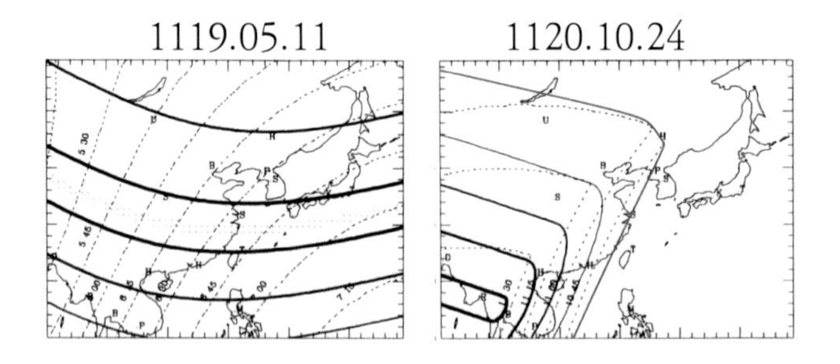

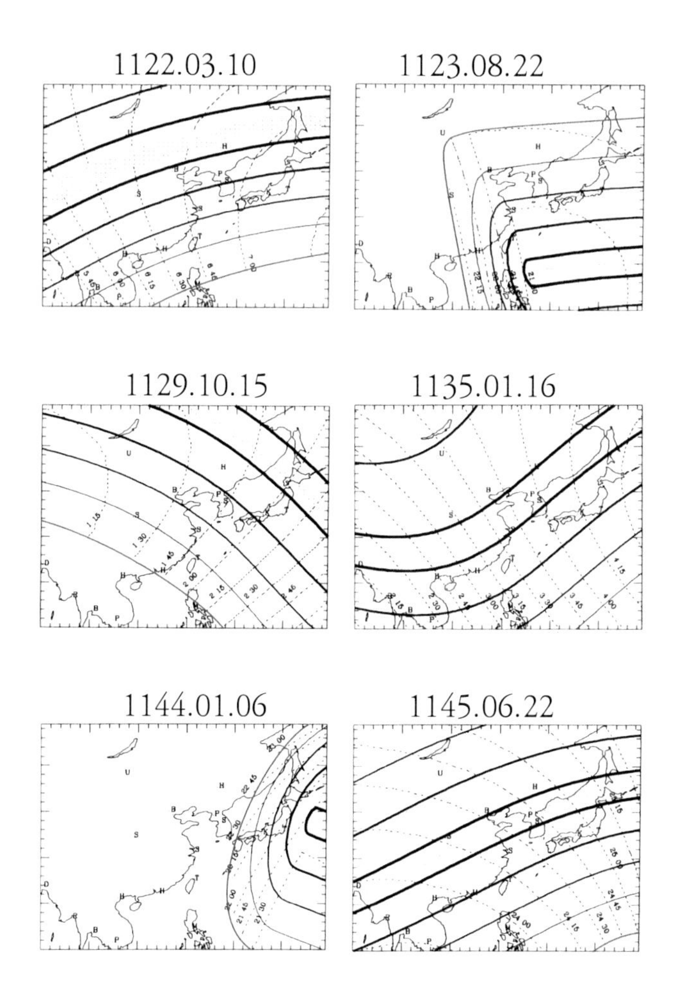
1122.03.10
1123.08.22
1129.10.15
1135.01.16
1144.01.06
1145.06.22

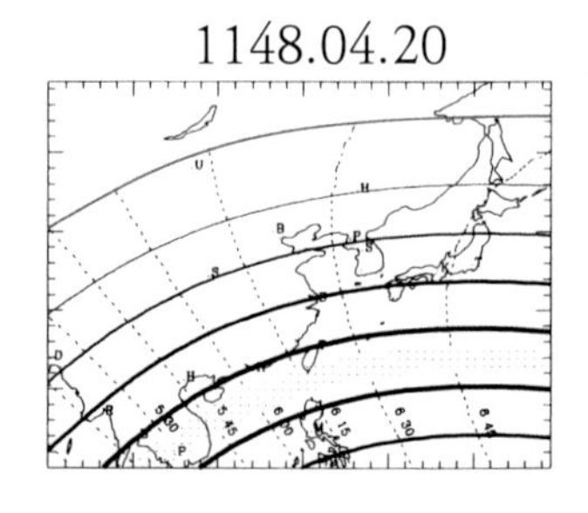

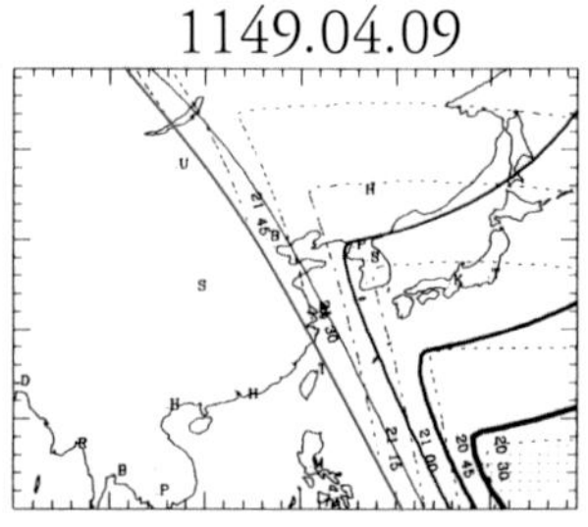

그 중심선이 지나가는 영역이 서로 비슷하거나 겹치는 경우가 다수인데,

1.동아시아 전역을 가로형태로 지나가는 모양 5개
(1120, 1122, 1135, 1145, 1148년)
2.지도상 우측 해상지역에 쏠려있는 3개
(1123, 1144, 1149년)처럼,

그 형태가 서로 엇비슷한 일식들로 인해 이미 지도상 여러 특정 지역에 식분값이 쏠리는 환경이 조성돼 있고, 이런 상태에서는 실제 관측지도 힘을 발휘하기 어려울 것이다.
그렇다면 어째서 후기신라의 경우는 똑같이 일식 개수가 적었음에도 충분한 다양성을 확보할 수 있었을까?
이것을 그저 우연으로 치부할 수도 있겠지만, 필자는 양 국가가 가진 존속연대의 차이에서 그 답을 찾고자 한다. 금나라 상경 시대의 경우는, 존속기간이 단 39년으로서, 이 기간에 금나라 수도 상경을 지나갔던 전체 일식은 11개뿐이었다. 다시말해 애초에 선택지가 11개인 상황에서 8개를 취하여 기록한 것이며, 이런 상황에선 근본적으로 일식의 다양성이 충분히 확보되기 어려울 것이다. 만일 11개의 일식이 연속으로 매번 다양한 형태로 지나갔다면 가능하겠으나, 일반적으로 그 11개 안에는 서로 비슷한 일식이 겹쳐서 등장하기 마련이다. 즉, 선택지 자체가 충분한 다양성을 확보하지 못한 상황에서, 거기서 몇 개를 선택한들 그 결과 역시 금나라처럼, 다양성이 결여될 확률이 높다는 것이다.

반면 후기신라의 경우는 그 존속연대가 150년으로, 이 기간에 경주를 지나갔던 일식 선택지는 약 54개에 달했고, 그중 8개가 선택되어 기록됐다. 즉 이미 충분한 다양성을 확보했을 54개라는 선택지에서 뽑힌 그 결과 역시, 다양성을 띠는 것이 가능했다는 것이다.(물론 어느 정도의 운도 따라야 한다.)

요나라(거란) 평균식분도

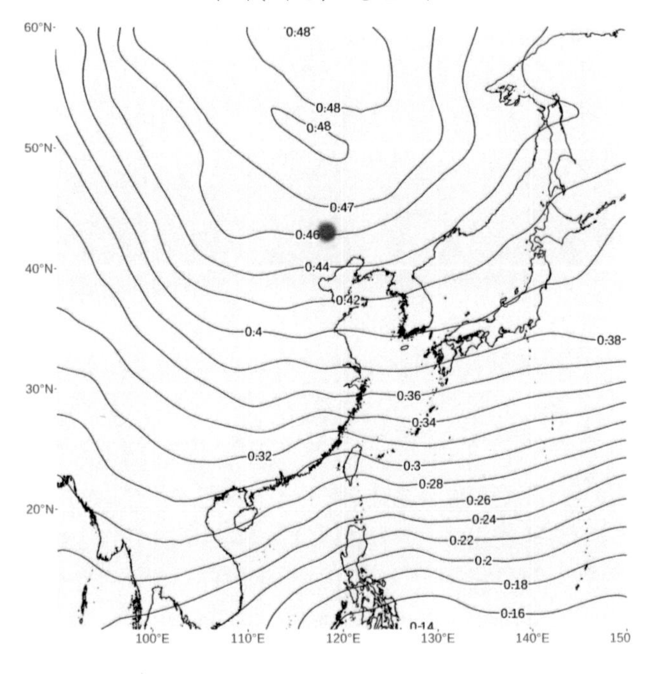

요나라 상경(츠펑시) 수도시대 평균식분도 정보

- 수도 존속기간: 916 ~ 1120년 (205년)
- 총 유효일식 개수 : 27개
- 최대 평균식분값: 0.4835
- 최적관측지로 설정한 식분값: 0.48
- **미결집 평균식분도로 판정**

추가 정보

요나라는 그 역사 말기(1120년)에 도피하는 형태로 수도를 옮긴 일이 있다. 즉 상경에서 중경(닝청현)으로, 이후엔 응주(쉬저우시)로 옮겨간 일이 있으나, 요나라 전체 27개 일식 중 25개가 모두 상경시대에 기록된 점, 그리고 천도했던 지역들이 모두 상경에서 그리 멀지 않았던 점을 감안해, 시기별로 나누지 않고 27개의 유효일식을 한 번에 평균했다.

고구려와 유사하게 그 최적관측지가 북쪽에 쏠린 채로 두 개 영역으로 나뉘어 형성돼 있다. 나름 최적관측지 쪽으로 집결은 되고 있으나, 동심원의 형태와는 거리가 멀기 때문에, 결론적으로 미결집 평균식분도로 분류했다. 이러한 형태의 최적 관측지는, '지도상 북쪽 어딘가에서 관측했을 것'이란 정보 외에는 특별한 의미를 두기 어려울 것이다.

후진(後晉) 평균식분도

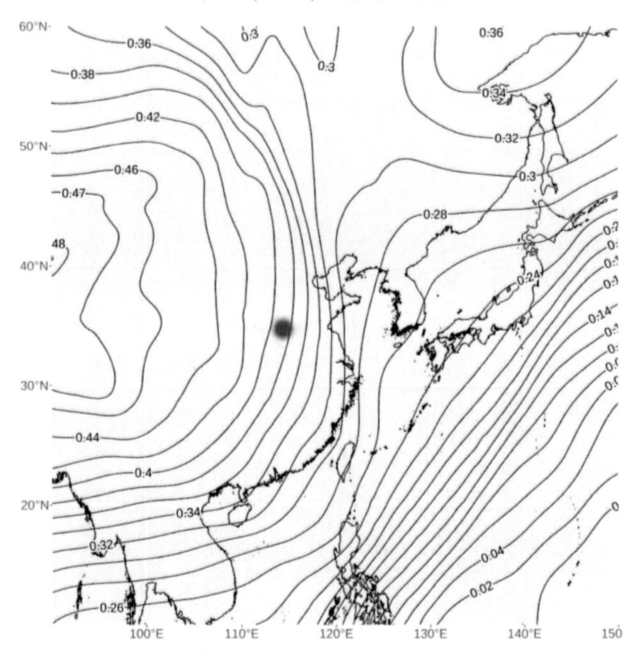

후진(後晉) 평균식분도 정보

- 수도(카이펑) 존속기간: 937 ~ 946년 (10년)
- 총 유효일식 개수 : 8개
- 최적관측지로 설정한 식분값: 0.48
- **미결집 평균식분도로 판정**

추가 정보

5대 10국 시대에 해당하는 후진(後晉)의 평균식분도이다. 전반적인 평균식분도의 균형이 무너져 있어, 최적 관측지 분석의 의미가 없는 미결집 사례로 분류한다.

후진의 일식기록은 다소 의아한 부분이 있다. 10년이라는 매우 짧은 존속기간 동안 8개의 일식 기록을 남겼는데, 당시 동아시아를 지나갔던 모든 일식의 개수도 8개였다. 다시말해 후진의 천문관은, 당시 동아시아를 지나갔던 전체 일식을 하나도 놓치지 않고 100% 모두 기록했다는 것이다. 어찌 보면, '후진 관측관의 실력이 매우 뛰어났다'라고 볼 수 있는 대목이지만, 그중 1개는(940.12.02) 후진 영토에서는 전혀 볼 수 없었음을 감안할 때, 후진의 일식 기록은 후대에 계산되어 일괄적으로 삽입됐을 가능성도 존재한다.

후당(後唐) 평균식분도

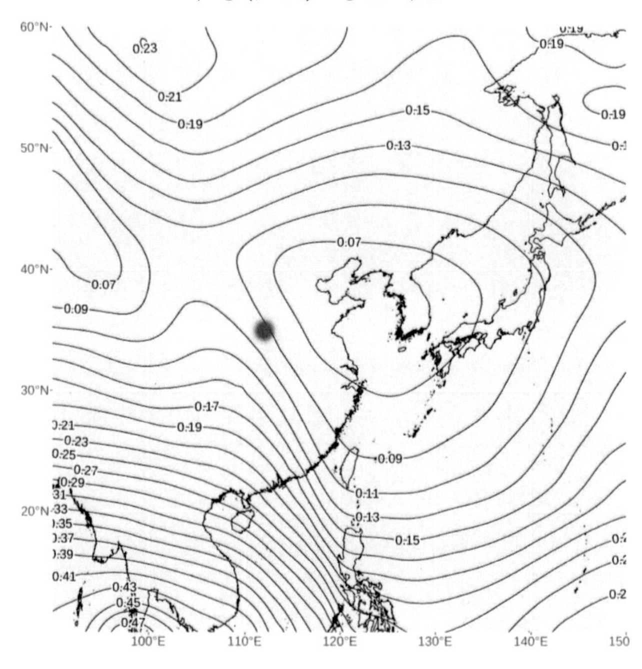

후당(後唐) 평균식분도 정보

- 수도(낙양) 존속기간: 923 ~ 936년 (14년)
- 총 유효일식 개수 : 6개
- 최대 평균식분값: 0.4760
- 최적관측지로 설정한 식분값: 0.47
- **미결집 평균식분도로 판정**

추가 정보

후당 평균식분도는 자칫 그 최적관측지가 지도 중앙의 0.07등고선으로 보이는 착각을 유발할 수 있는데, 실제 평균식분값이 가장 높은 최적관측지(0.47)는 지도상 맨 좌하단 부근에 위치한다.
전반적인 형태로 보아 이 역시 수도의 위치를 검증하는 데엔 쓰일 수 없는 평균식분도이다.

후당 역사 14년 동안 당시 동아시아를 지나갔던 전체 일식은 7개였는데, 후당은 그중 6개를 기록한다. 이것은, 앞서 봤던 후진의 일식과 비슷한 흐름을 가지지만, 이번 후당의 일식이 좀 더 유별난 것은, 그들이 기록한 6개의 일식 중 4개가, 수도 및 전 영토에서 관측할 수 없었던 일식이었다.

5대10국 후한(後漢) 평균식분도

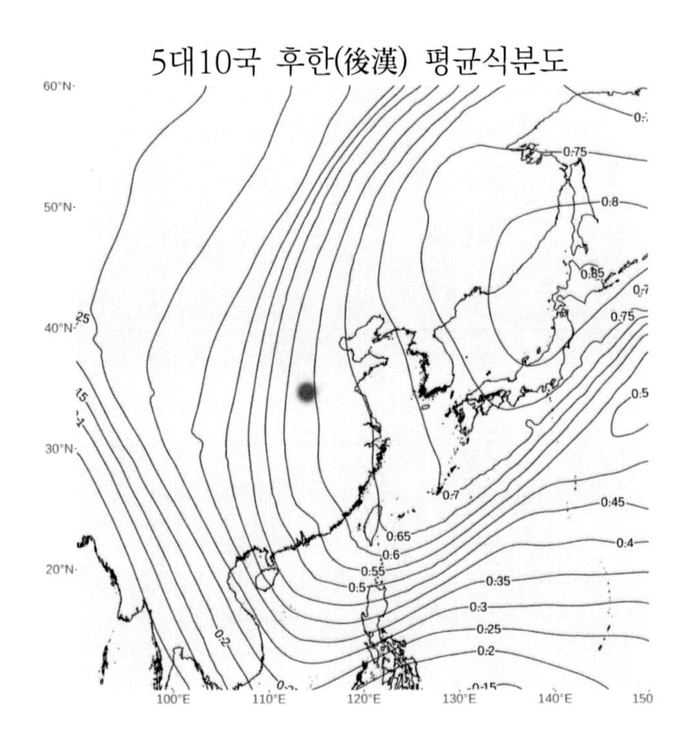

후한 평균식분도 정보

- 수도(카이펑) 존속기간: 947 ~ 951년 (5년)
- 총 유효일식 개수 : 3개
- 최대 평균식분값: 0.8515
- 최적관측지로 설정한 식분값: 0.8
- **미결집 평균식분도로 판정**

추가 정보

5대 10국에 속하는 후한으로서, 대중적으로 유명한 통일왕조 한나라와는 다른 국가다. 5년이라는 매우 짧은 역사 기간동안 3개의 일식 기록을 남겼는데, 이 역시 비슷한 시기의 후진(後晉)과 마찬가지로 100%의 선택률이다. 즉 당시 5년 동안 총 3개의 일식만 동아시아를 지나갔는데, 후한은 그 모두를 기록했다. 다만 후한의 경우는 그 3개의 일식이 전부 수도인 카이펑에서 관측 가능했던 일식이었다.

결과적으로, 3개라는 매우 적은 일식 개수가 그림과 같은 조악한 결집을 형성하는데 주요 원인으로 작용했을 것이다.

당나라 낙양시대(4차수도) 평균식분도

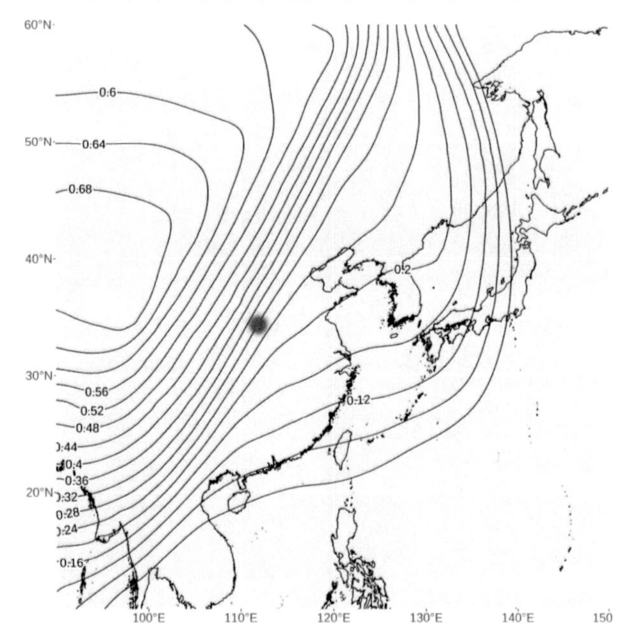

당나라 낙양 수도시대(4차) 평균식분도 정보

- 수도 존속기간: 904 ~ 907년 (4년)
- 총 유효일식 개수 : 2개
- 최대 평균식분값: 0.7207
- 최적관측지로 설정한 식분값: 0.68
- **미결집 평균식분도로 판정**

추가 정보

이연(李淵)이 세운 당나라는 총 4번의 천도를 단행했고, 이를 모두 반영하여 당나라 일식 기록을 4개의 시기로 분할하여 평균식분도를 도출했다.

1차 수도 - 장안 (618~684년) 25개
2차 수도 - 낙양 (684~705년) 9개
3차 수도 - 장안 (705~904년) 42개
4차 수도 - 낙양 (904~907년) 2개

이번의 평균식분도는 그중 마지막인 4차 시대의 것이다. 당시 동아시아를 지나갔던 총 일식은 2개뿐이었고, 그 전부가 기록됐다. 일식 개수가 2개뿐임에도, 그중 1개(906년)는 수도 낙양에서 볼 수 없었던 일식이었다.

4차 낙양시대 2개 일식의 식분도

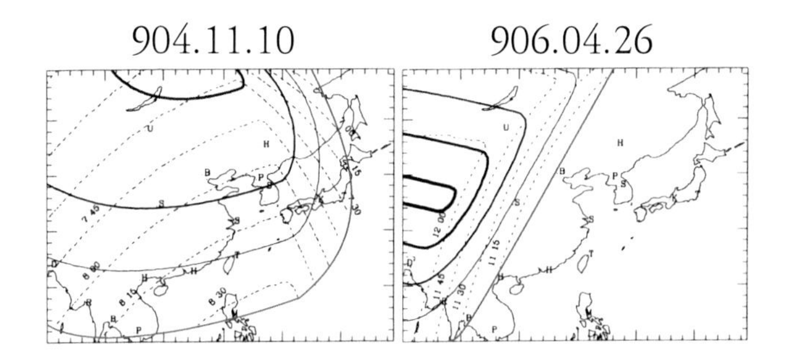

당나라 장안시대(3차수도) 평균식분도

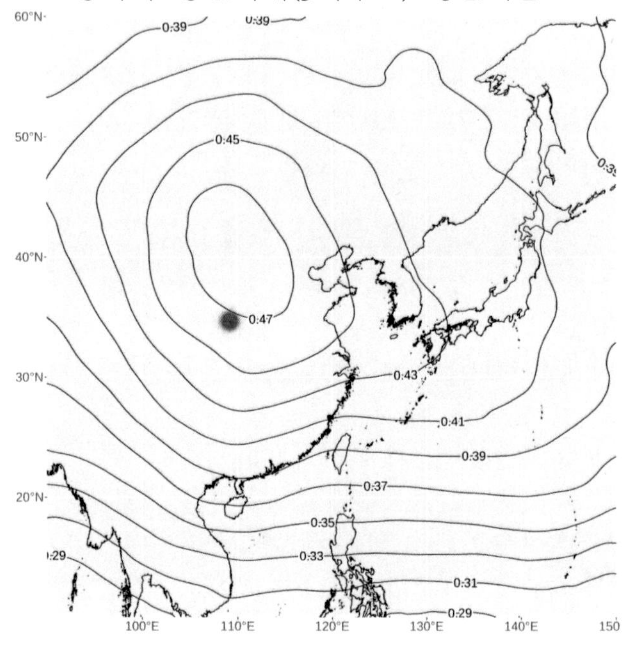

당나라 장안 수도시대(3차) 평균식분도 정보

- 수도(장안) 존속기간: 705 ~ 904년 (200년)
- 총 유효일식 개수 : 42개
- 최대 평균 식분값: 0.4791
- 최적관측지로 설정한 식분값: 0.47
- 최적관측지-수도 일치여부: 불일치

추가 정보

이번 당나라 3차 평균식분도는 그 형태가 매우 안정되어 있으며, 그 최적관측지는 수도(장안)의 위치를 조금 벗어난다. 최적관측지의 테두리에 걸쳐있는 모습을 보이나, 결과적으로 필자가 설정한 최적관측지를 벗어나 있으므로, 이번 사례는 최적관측지와 수도가 불일치한 사례로 분류했다.

앞서 12세기에 보았던 남송의 일식을 마지막으로 등장하지 않았던 수준 높은 결집이, 이번 당나라 장안시대에서 다시 확인되고 있다. 이를 가능하게 한 핵심 요소는 응당 긴 존속기간(200년)과 다량의 일식 개수(42개)일 것이다.

한편, 기록된 유효일식 42개 중 수도(장안)에서 볼 수 없었던 일식은 총 4개로, 9%의 낮은 불순율을 보였다.

당나라 낙양시대(2차수도) 평균식분도

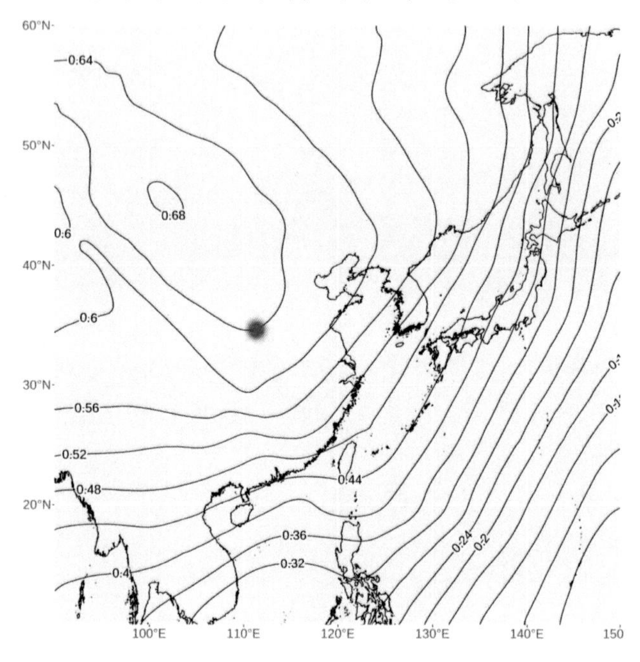

\# 당나라 낙양 수도시대(2차) 평균식분도 정보

- 수도 존속기간: 684~705년 (22년)
- 총 유효일식 개수 : 9개
- 최대 평균 식분값: 0.6822
- 최적관측지로 설정한 식분값: 0.68
- 최적관측지-수도 일치여부: 불일치

추가 정보

일식 개수가 9개뿐 임에도, 전반적인 결집 형태는 양호한 수준이다. 최적관측지의 크기는 보는 이마다 다르게 설정할 수 있지만, 오차범위를 충분히 준다 해도 수도의 위치를 포함하긴 어렵다고 판단하여 결과적으로 최적관측지와 수도가 불일치한 사례로 분류했다.

한가지 주목할 것은, 낙양에 수도를 두었다는 두 시기(2차,4차)의 당나라 일식에 공통점이 있었는데, 이번 2차 낙양 시기에 동아시아를 지나갔던 일식은 총 9개였는데, 그 전부가 기록됐다. 이것은 앞서 살펴봤던 4차 낙양시대와 동일한 100% 선택률에 해당하며, 그 최적관측지의 위치 역시, 둘 다 지도상 서쪽 일대로 도출되고 있다.

당나라 장안시대(1차수도) 평균식분도

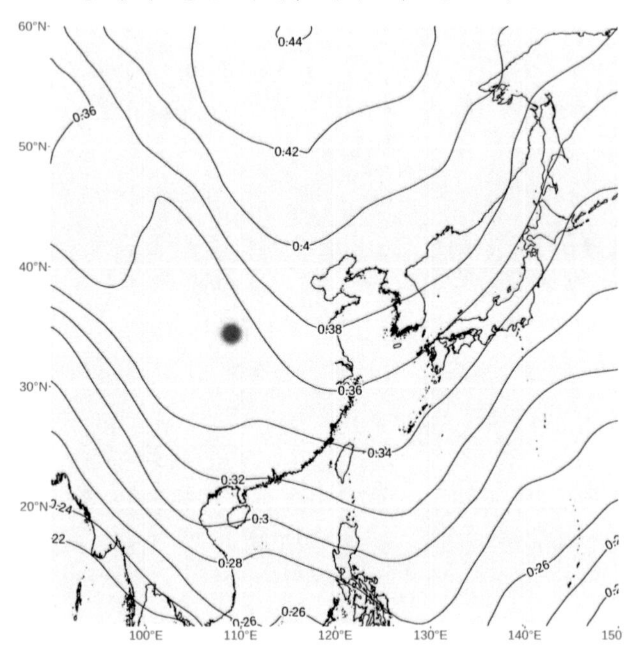

당나라 장안 수도시대(1차) 평균식분도 정보

- 수도 존속기간: 618 ~ 684년 (67년)
- 총 유효일식 개수 : 25개
- 최대 평균식분값: 0.4406
- 최적관측지로 설정한 식분값: 0.44
- **미결집 평균식분도로 판정**

추가 정보

25개라는 준수한 일식 개수임에도 평균식분도의 결집 수준이 매우 떨어지며, 이는 당나라 역사 통틀어 가장 낮은 수준에 해당한다.

먼저 불순율에 주목해 보면, 전체 25개 일식 중 8개가 수도 장안에서는 볼 수 없었고, 이는 32%에 해당하는 높은 수치다. 이것은, 앞선 3차 장안 시대의 불순율 9%와 비교했을 때도 비약적으로 높아진 수치다.

따라서 이번 1차 장안 시대의 일식이 과연 실측에 의한 것인지에 대한 의문을 남긴다. 이 시기가 당나라 초반기에 해당하고, 잦은 대외전쟁(대 돌궐, 백제, 고구려, 신라 등)이 있었던 점을 감안하면, 당시의 혼란스러운 정국으로 인해 천문관측을 제대로 수행하지 못했을 가능성도 있다.

수나라(장안시대) 평균식분도

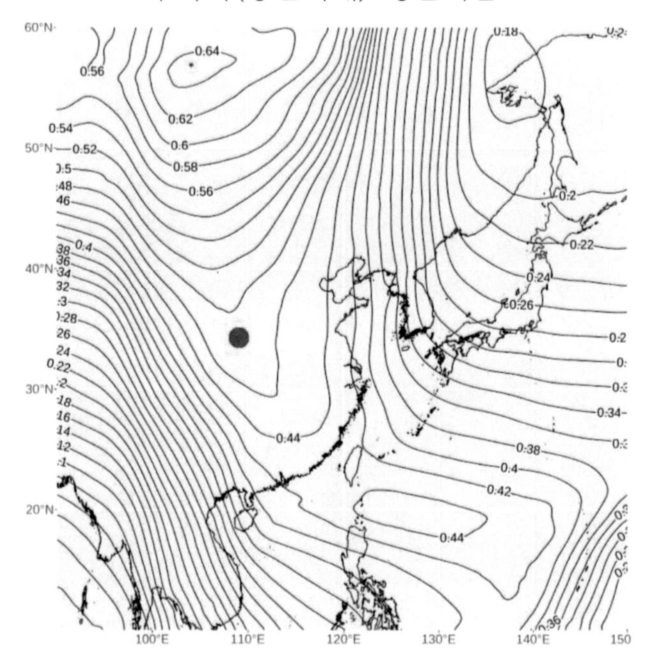

수나라 장안 시대 평균식분도 정보

- 수도 존속기간: 581 ~ 605년 (25년)
- 총 유효일식 개수 : 4개
- 최대 평균식분값: 0.6478
- 최적관측지로 설정한 식분값: 0.64
- **미결집 평균식분도로 판정**

추가 정보

수나라는 605년 장안에서 낙양으로 천도한 일이 있지만, 낙양시대의 일식 기록은 1개뿐이었기에 이를 제외한 장안시대의 것(4개)만을 평균했다. 수나라의 평균식분도가 보여주는 조악한 형태는, 수나라의 짧은 역사기간과, 4개라는 적은 일식 개수로 인한 결과로 보인다.

한편, 이번 수나라 일식에서 한가지 높아진 수치가 있었는데, 바로 '무효일식의 비중'이었다. 무효일식이란 사서에 기록은 돼 있지만 동아시아에선 일식이 없었던 날로, 본 평균식분도 작업에는 쓰일 수 없었던 무효한 날짜를 말했다.
이전 국가들은 그 비중이 최대 30%를 넘기지 않았는데, 이번 수나라의 경우는 무효일식 비중이 60%로 치솟았다. 다시말해 수나라가 기록한 총 10개 일식 날짜 중 6개가, 실제론 일식이 발생하지 않았던 날짜였다. 따라서 이런 경우엔, 당대 실측에 기반한 기록이 아닌, 후대에 계산된 일식으로 채워졌을 가능성이 높다고 볼 수 있다.

남북조시대 남진(南陳) 평균식분도

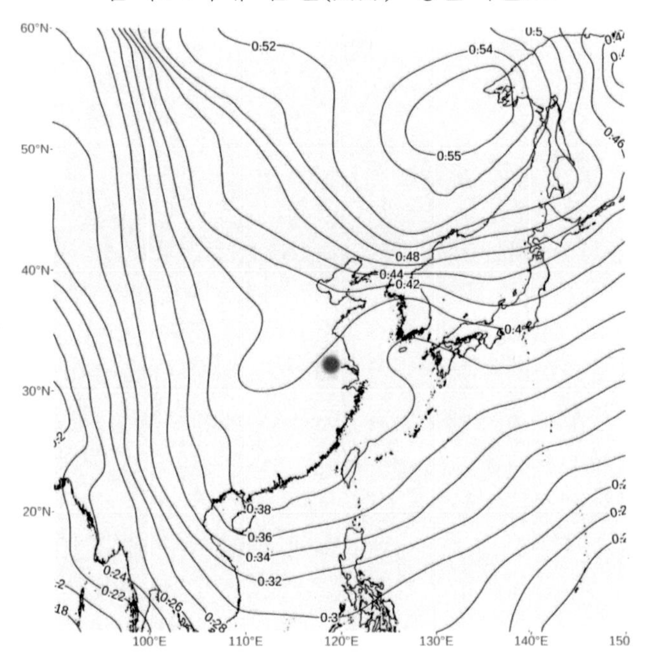

남진(南陳) 평균식분도 정보

- 수도(난징) 존속기간: 557 ~ 589년 (33년)
- 총 유효일식 개수 : 9개
- 최대 평균식분값: 0.5598
- 최적관측지로 설정한 식분값: 0.55
- **미결집 평균식분도로 판정**

추가 정보

남북조시대 가장 마지막 남조인 진(陳)나라다. 평균식분값이 가장 높은 최적관측지가, 지도상 북동 지역에 형성은 돼 있지만, 전반적인 평균식분도의 균형이 무너져 있어 미결집 사례로 분류한다.

이번 남진의 '무효일식 비중' 역시 수나라와 그 맥을 같이 하는데, 남진이 기록한 전체 일식 날짜는 총 29개지만, 이 중 20개가, 실제 동아시아에선 일식이 없었던 날이었다. 즉 69%의 기록이 틀렸다는 것이다. 이것은 앞서 수나라(60%)보다도 더 높아진 수치로서, 이번 남진의 일식 기록 역시 당대의 실측이 아닐 가능성을 높이고 있다.

남북조시대 북주(北周) 평균식분도

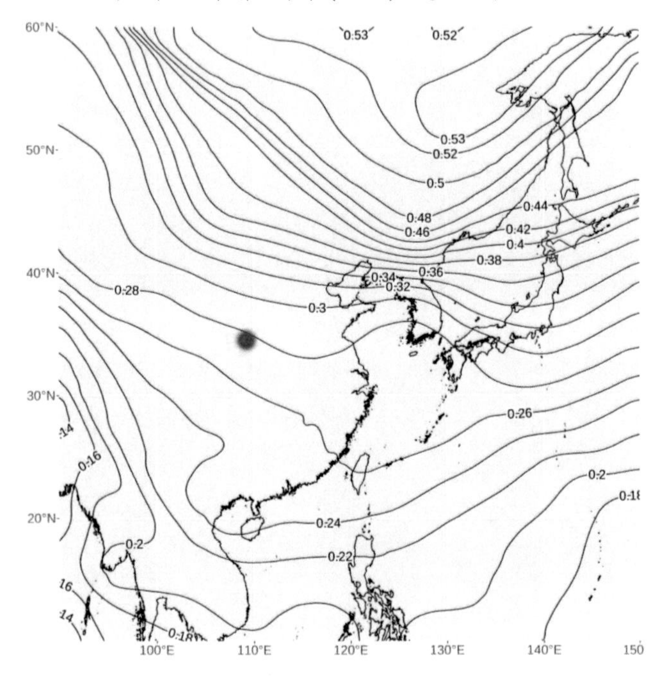

\# 북주(北周) 평균식분도 정보

- 수도(장안) 존속기간: 557 ~ 581년 (25년)
- 총 유효일식 개수 : 7개
- 최대 평균식분값: 0.5399
- 최적관측지로 설정한 식분값: 0.53
- **미결집 평균식분도로 판정**

추가 정보

전반적인 형태가 무너져 있어, 이 역시 미결집 평균식 분도로 분류한다. 이번 북주의 경우도, '무효일식의 비중'을 볼 때 이전 수나라, 남진과 계속 같은 맥락을 유지한다. 그들이 기록한 전체 일식 날짜는 21개인데, 이 중 67%에 해당하는 14개가, 실제 동아시아에선 일식이 없었던 날짜였다.

연속되는 시기의 국가들이 계속해서 무효일식의 비중이 높다는 것은, 앞서 언급한 '계산 일식'의 가능성을 더욱 높여준다. 쉽게 말해, 수나라 및 특정 남북조 국가들의 일식을 생성했던 계산자가 부정확한 계산 방법을 사용하면서 발생한 현상으로 볼 수 있다는 것이다.

남북조시대 동위(東魏) 평균식분도

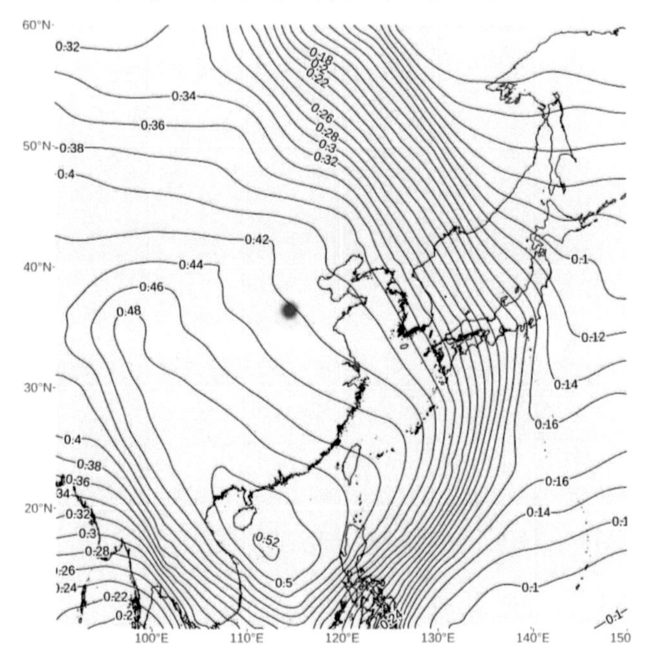

동위(東魏) 평균식분도 정보

- 수도(업鄴) 존속기간: 534 ~ 550년 (17년)
- 총 유효일식 개수 : 4개
- 최대 평균식분값: 0.5217
- 최적관측지로 설정한 식분값: 0.52
- **미결집 평균식분도로 판정**

추가 정보

앞서 문제를 일으켰던 '무효일식의 비중'이, 이번 동위에 와서는 문제를 일으키지 않는다. 총 4개의 일식 기록 전부가 동아시아에서 발생했던 유효일식이었다.
다만, 4개의 유효일식 중 1개(538.2.15)는 당시 동위의 영토에선 볼 수 없었던 일식이었다.

538.2.15 일식 식분도

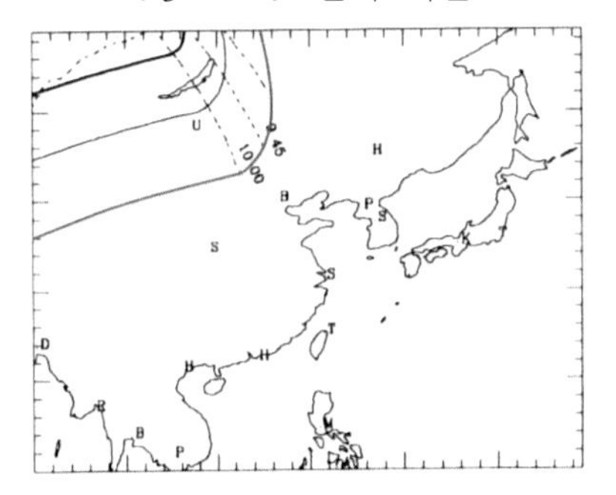

평균식분도의 그 최적관측지는, 동위의 수도와 매우 떨어진 남쪽 해상지역에 형성되고 있으나, 전반적인 평균식분도의 균형이 고르지 못한 점을 감안하여 미결집 평균식분도로 분류한다. 4개라는 적은 일식 개수가 미결집의 주 원인으로 작용했을 것이다.

남북조시대 양(梁)나라 평균식분도

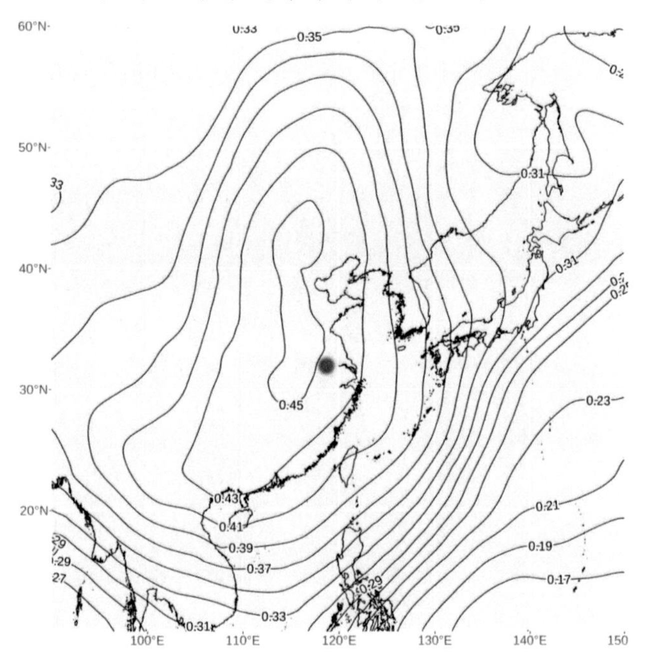

남량(南梁) 평균식분도 정보

- 수도(난징) 존속기간: 502 ~ 552년 (51년)
- 총 유효일식 개수 : 18개
- 최대 평균식분값: 0.4542
- 최적관측지로 설정한 식분값: 0.45
- 최적관측지-수도 일치여부: 불일치

추가 정보

양나라의 수도는 건강(난징) 이후 강릉(징저우)으로 바꿨지만, 그들의 일식 기록은 모두 난징시대의 것이다. 양나라 역시 '무효일식의 비중' 문제에선 비교적 자유롭다. 총 24개의 일식 기록 중 6개(25%)만 실제 동아시아엔 일식이 없었던 무효일식이었다.

평균식분도의 형태가 상/하로 쏠려있긴 하나 전반적인 균형은 유지된 점을 고려해, 유효한 최적관측지로 분류한다. 결과적으로 필자가 설정한 최적관측지 안에 수도가 포함되지 않기에, 수도와 최적관측지가 불일치한 사례로 구분했다.

다만, 양나라처럼 수도의 위치가 최적관측지에 근접할 경우엔, 최적관측지의 미세한 크기 설정에 따라 수도 포함 여부가 달라질 수도 있을 것이다.

남북조시대 제(齊)나라 평균식분도

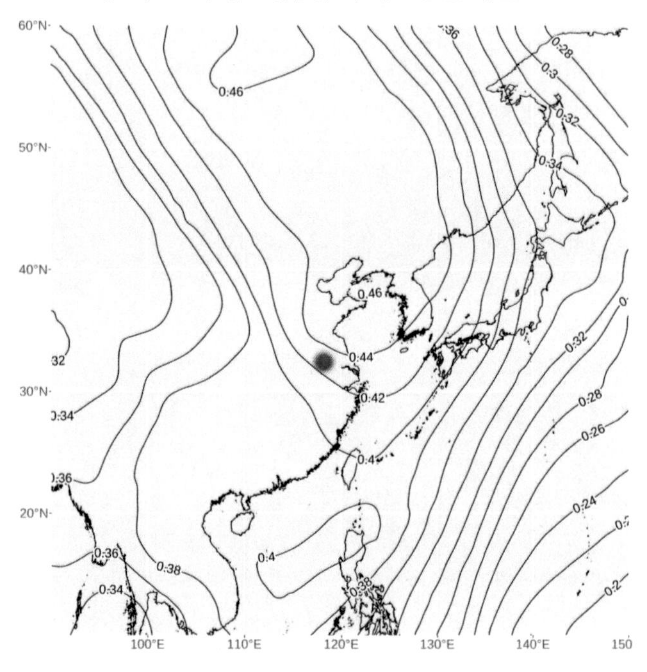

남제(南齊) 평균식분도 정보

- 수도(난징) 존속기간: 479 ~ 502년 (24년)
- 총 유효일식 개수 : 9개
- 최대 평균식분값: 0.4696
- 최적관측지로 설정한 식분값: 0.46
- **미결집 평균식분도로 판정**

추가 정보

전반적인 균형이 무너져 있는 미결집 평균식분도로 분류하였다.

한편 앞서 동위/양나라에서 잠시 해결됐던 '무효일식'의 문제가 이번 남제에 와서 다시 발생한다. 기록된 총 18개의 일식 날짜 중 9개가, 당시 동아시아에선 일식이 없었던 날짜로 50%라는 무효일식 비중을 가진다.

다만 불순율을 따져보면, 9개 유효일식 중 전부가 수도 난징에서 관측은 가능했다. 똑같이 9개의 유효일식이었던 후기신라의 불순율(11%)이 더 높았음에도, 결과적인 평균식분도의 집중에서 이토록 차이를 보인 것은, 앞서 한번 언급한 대로, 남제의 짧은 역사 기간이 큰 영향을 끼친 것으로 추정된다.

남북조시대 송(宋)나라 평균식분도

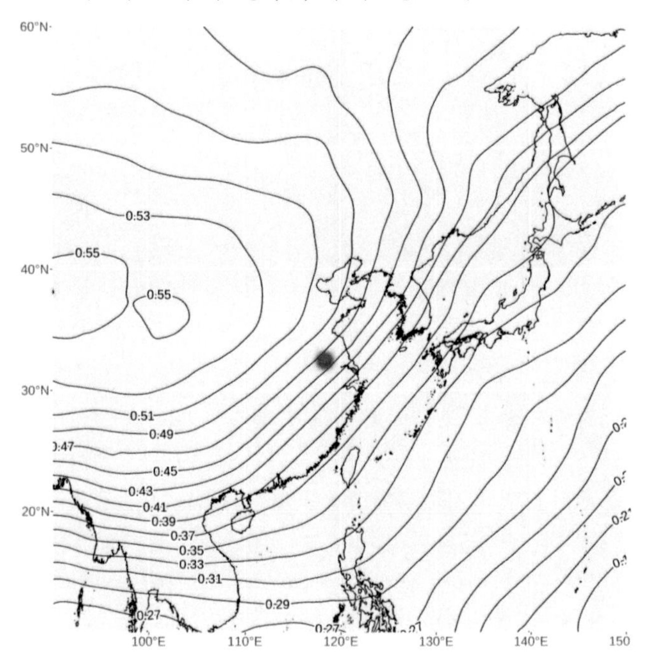

유송(劉宋) 평균식분도 정보

- 수도(난징) 존속기간: 420 ~ 479년 (60년)
- 총 유효일식 개수 : 18개
- 최대 평균식분값: 0.5572
- 최적관측지로 설정한 식분값: 0.55
- **미결집 평균식분도로 판정**

추가 정보

이번 유송의 평균식분도는 최적관측지로 설정한 0.55선이 2개로 양분돼 있어, 요나라의 그것과 비슷한 흐름을 가진다. 물론 최적관측지가 양분되는 것 외에는, 비교적 안정적인 균형을 유지하고는 있지만, 본 연구에서는 결집의 기준을 초기신라의 형태에 맞추고자 하는바, 유송의 것은 결과적으로 미결집 사례로 분류하였다.

한편 이번 유송의 일식 기록은 앞서 언급했던 '무효일식비중'의 문제를 또다시 드러낸다. 총 35개의 일식기록 중 17개인 49%에 해당하는 날짜들이 실제론 동아시아에서 일식이 없었던 날짜였다.

북위(北魏) 낙양시대 평균식분도

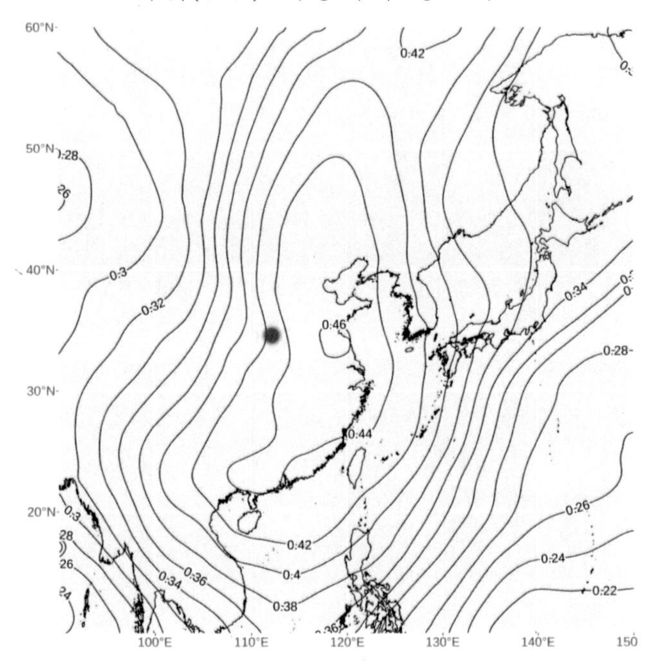

북위(北魏) 낙양 수도시대 평균식분도 정보

- 수도(낙양) 존속기간: 494년 ~ 534년 (41년)
- 총 유효일식 개수 : 18개
- 최대 평균식분값: 0.4619
- 최적관측지로 설정한 식분값: 0.46
- 최적관측지-수도 일치여부: 불일치

추가 정보

북위는 총 4번의 천도를 했으나, 그들의 일식 기록은 2개의 수도(평성,낙양)에서만 기록됐기에, 평균식분도 역시 2개이며 이번 것은 그 중 후기에 속한 낙양시대의 평균식분도이다.

동심원보단 상하로 퍼져나가는 형태이지만, 양나라와 같은 맥락으로, 필자는 해당 평균식분도를 결집 사례로 판정했으며, 결과적으로 최적관측지와 그 수도가 불일치한 사례로 분류했다.

한편, 이번 북위의 일식 기록은 이전 동위의 사례와 마찬가지로 무효일식의 비중이 비교적 낮다. 총 22개의 일식 중 4개(18%)만, 당시 동아시아에선 발생치 않았던 무효일식이었다. 다만 불순율(유효일식 중 수도에서 볼 수 없었던 일식 비중)은 6/18개로서 33%로 비교적 높았다.

북위(北魏) 평성시대 평균식분도

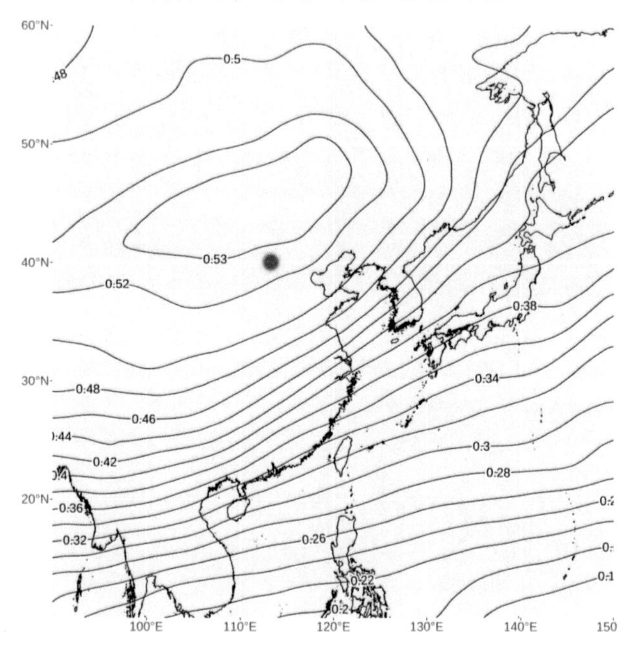

\# 북위(北魏) 평성(다퉁) 수도시대 평균식분도 정보

- 수도(평성) 존속기간: 398 ~ 494년 (97년)
- 총 유효일식 개수 : 23개
- 최대 평균식분값: 0.5387
- 최적관측지로 설정한 식분값: 0.53
- 최적관측지-수도 일치여부: 불일치

추가 정보

전체적인 등고선이 좌우로 퍼지긴 하지만, 상당히 양호한 균집을 형성하고 있기에 결집 평균식분도로 판단, 그 최적관측지는 수도와 불일치한 사례로 분류했다.

북위 평성 시대의 '무효일식 비중'은 13/36 (36%)로서, 북위 낙양시대(18%), 동위(0%) 중에서는 가장 높은 수치였으나, 수치가 50%를 넘겼던 유송, 남제, 북주, 남진, 수나라와 비교했을 때는 비교적 양호한 수준이라 할 수 있다.

동진(東晋) 평균식분도

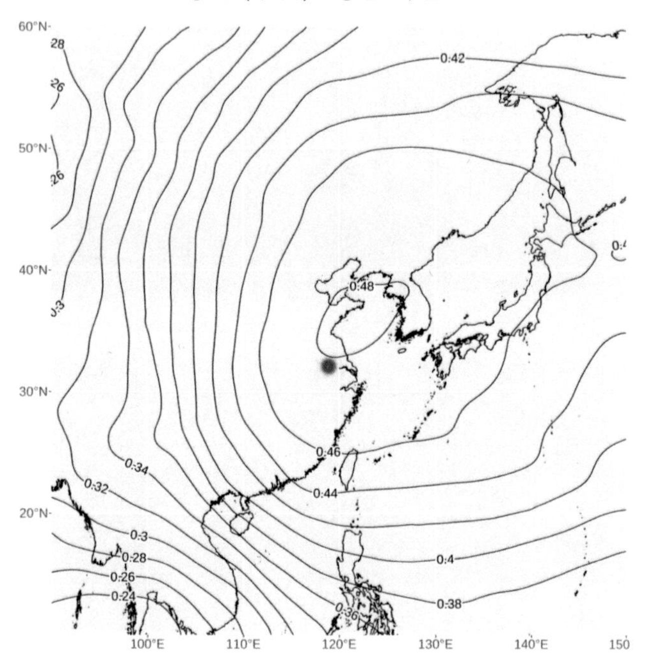

동진(東晋) 난징 수도시대 평균식분도 정보
- 수도(난징) 존속기간: 317 ~ 420년 (104년)
- 총 유효일식 개수 : 24개
- 최대 평균식분값: 0.4837
- 최적관측지로 설정한 식분값: 0.48
- 최적관측지-수도 일치여부: 불일치

추가 정보

이번 동진의 평균식분도는, 당나라 3차 장안시대(705 ~ 904년) 이후로 보기 어려웠던, 안정적인 결집 형태를 보인다.

'무효일식 비중' 수치도 비교적 양호했는데, 동진이 기록한 총 31개의 일식 기록 중 실제 동아시아에서 볼 수 없었던 일식은 7개로서 23%의 수치를 보였다.

한편 동진의 평균식분도는, 최적관측지의 미세한 크기 설정에 따라 수도 포함 여부가 달라지는 문제가 있었다. 연구자의 성향에 따라, 오차범위를 늘릴 경우엔 동진의 평균식분도는 수도와 일치하는 사례가 될 수도 있을 것이다.

서진(西晉) 낙양시대 평균식분도

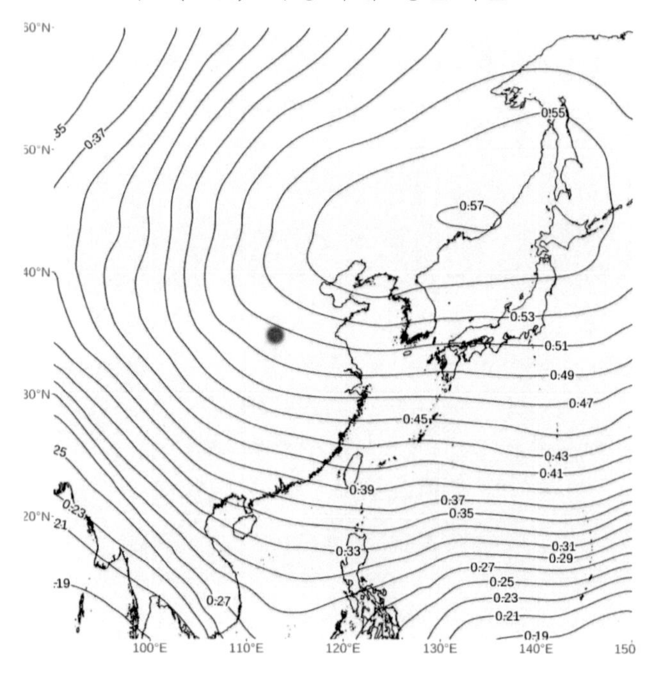

서진(西晉) 낙양 수도시대 평균식분도 정보

- 수도(낙양) 존속기간: 265년 ~ 313년 (49년)
- 총 유효일식 개수 : 15개
- 최대 평균식분값: 0.5710
- 최적관측지(임시)로 설정한 식분값: 0.57
- 최적관측지-수도 일치여부: 불일치

추가 정보

서진의 경우 그 말기에 장안으로 수도를 옮긴 일이 있으나, 당시엔 2개의 일식만 기록되어 이를 배제하고 낙양시대의 15개만을 평균했다. 평균식분도의 형태가 다소 좌우로 퍼지긴 하나 안정적인 편에 속한다.

0.55등고선 안쪽부터 식분값의 변화가 확연히 느려지는 것이 보이므로, 최적관측지의 크기도 더 커질 수 있겠지만, 수도의 위치까지 포함하기는 어렵다. 따라서 결과적으로 최적관측지와 수도가 불일치한 사례로 분류했다.

한편 앞서 살펴봤던 동진(東晉)과는 '무효일식'에 있어 큰 차이가 있었다. 동진의 무효비율이 23%였던 것에 반해, 이번 서진(西晉)의 무효일식 비율은 48%였다. 즉 전체 29개의 일식 날짜 중 14개가, 실제 동아시아에선 일식이 없었던 날짜였다.

삼국시대 위(魏)나라 평균식분도

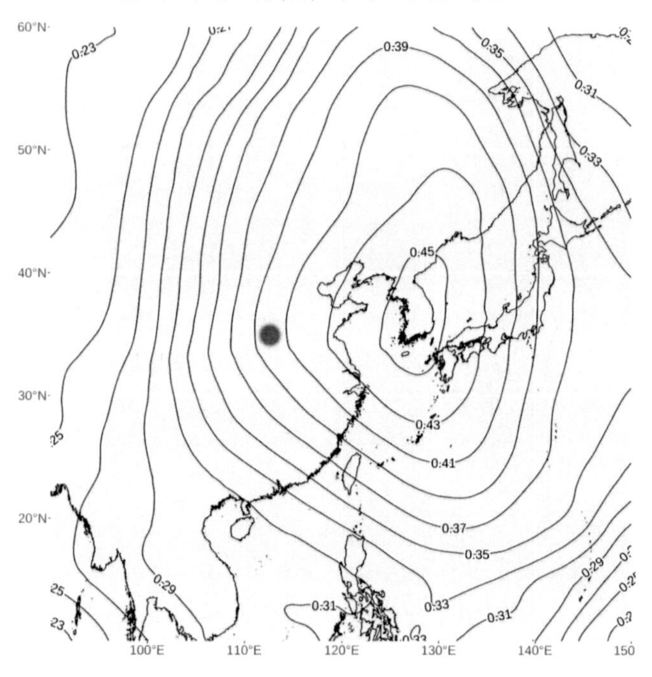

조위(曹魏) 낙양 수도시대 평균식분도 정보

- 수도(낙양) 존속기간: 220년 ~ 265년 (46년)
- 총 유효일식 개수 : 13개
- 최대 평균식분값: 0.4573
- 최적관측지로 설정한 식분값: 0.45
- 최적관측지-수도 일치여부: 불일치

추가 정보

별칭 조위(曹魏)라 불린다. 평균식분도의 집중 형태가 상당히 양호하며 그 최적관측지는 특이하게 한반도 일대로 형성됐다. 결과적으로 최적관측지가 역사적으로 알려진 수도와 일치하지 않는 사례이다.

조위가 기록한 총 20개의 일식 기록 중 7개는 실제 동아시아에선 일식이 없었던 날로, 35%의 무효일식 비중을 가진다.

불순율을 따져보면, 유효일식 13개에서 2개는, 그 수도였던 낙양에서 볼 수 없었던 일식으로 15%의 불순율을 보였다.

전한(前漢) 평균식분도

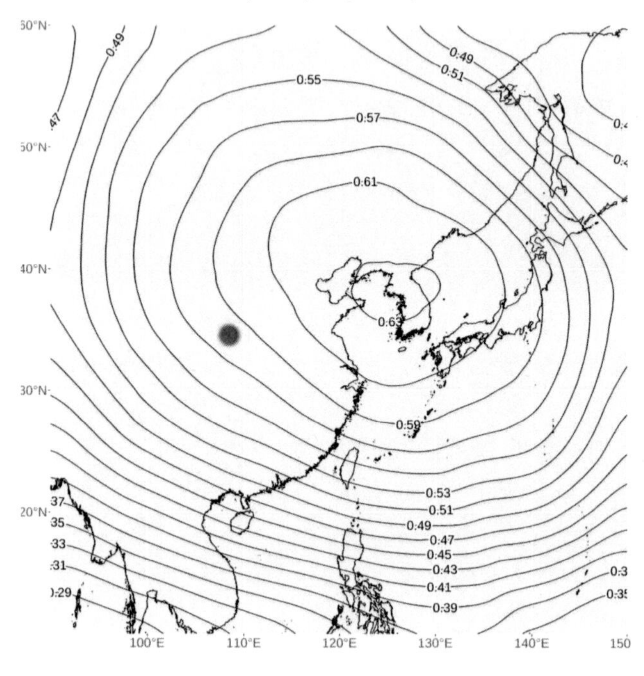

전한(前漢) 평균식분도 정보

- 수도(장안) 존속기간: BC 202년~ 8년 (210년)
- 총 유효일식 개수 : 43개
- 최대 평균식분값: 0.634
- 최적관측지로 설정한 식분값: 0.63
- 최적관측지-수도 일치여부: 불일치

추가 정보

낙양으로 수도를 천도했던 후한 시대의 평균식분도는 이미 박창범 본을 소개했으므로, 여기선 전한의 것만 소개한다. 참고로 동일하게 장안에 수도를 두었던 신(新)나라(8~23년)시기 2개의 일식도 함께 포함시켰다.

전한 평균식분도의 결집 형태는 상당히 안정적인 동심원 모양으로, 이 정도 수준의 결집은 본 나열 목록 중 한양조선 이후 등장하지 않았던 모습이다. 이것은, 전한의 210년이라는 긴 역사와 43개라는 준수한 일식 개수가 큰 영향을 끼친 것으로 보인다.

최적관측지의 위치는 한반도 및 현 요동 지역으로 형성되는데, 이것은 앞선 조위의 사례와 비슷하다. 다만 '무효일식 비율'은 조위(35%)보다 더 낮았는데, 전한이 기록한 총 58개의 일식 날짜 중 15개가, 실제 동아시아엔 일식이 없었던 날로, 26%의 무효율을 가졌다.

결과적으로 전한의 최적관측지는, 역사적으로 알려진 수도와 일치하지 않는 사례에 해당한다.

춘추전국시대 진(秦)나라 평균식분도

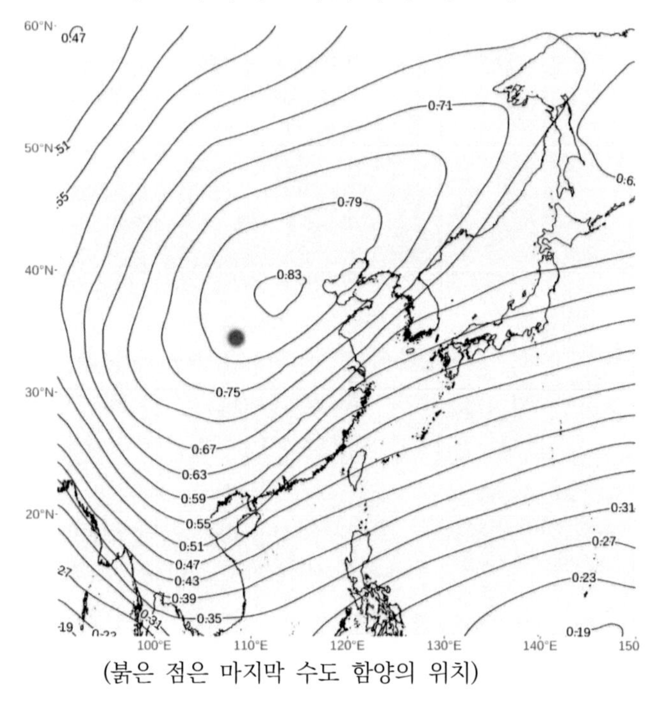

(붉은 점은 마지막 수도 함양의 위치)

진(秦)나라 평균식분도 정보

- 일식기록 기간: BC 441년~ BC 247년 (195년)
- 총 유효일식 개수 : 7개
- 최대 평균식분값: 0.8329
- 최적관측지로 설정한 식분값: 0.83
- 최적관측지-수도 일치여부: 불일치

추가 정보

진시황으로 대표되는 진나라의 역사는 BC 9세기~BC 206년으로 매우 길지만, 일식이 기록된 기간은 그 중 일부(BC 441년~ BC 247년)에 해당한다. 이 기간에 진나라는 수도를 세 번 옮기는데(옹-약양-함양), 그 위치들이 서로 가까우므로 따로 구분치 않고 7개 유효일식을 한 번에 평균하였다. 최적관측지의 오차범위를 크게 잡을 경우 수도를 포함할 수도 있겠지만, 필자의 기준에선 포함하지 않는 사례로 분류했다.

유효 일식 개수가 7개뿐임에도, 평균식분도의 집중성은 비교적 양호한 편이다. 이것은 195년이라는 긴 역사기간이 큰 영향을 준 것으로 보이는데, 특이한 점은, 그 7개 유효기록 중 6개가, 동시대 주(周)나라의 일식날짜와 연속으로 똑같다. (똑같지 않았던 1개는 주나라가 먼저 멸망한 후 진나라만 적은 기록), 195년간 진나라와 주나라가 택할 수 있었던 일식 선택지는 수도기준 총 70여 개에 달했는데, 이 중 6개를 뽑은 결과가 똑같다는 것은, 한쪽이 한쪽의 기록을 베꼈기 때문으로 추정된다. 한편 진나라의 무효일식은 1개로, 1/8(13%)의 무효율을 가진다. 이는 앞서 전한(26%)보다 더 낮아진 수치다.

춘추전국시대 노(魯)나라 평균식분도

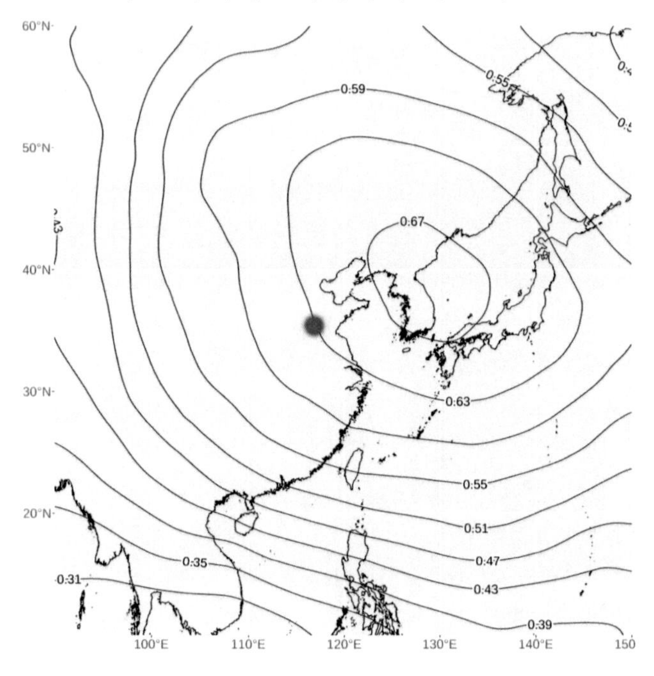

노(魯)나라 평균식분도 정보

- 수도(곡부) 존속기간: BC 11세기~BC 256년 (약800년)
- 일식기록 기간: BC 719년~ BC 480년 (240년)
- 총 유효일식 개수 : 33개
- 최대 평균식분값: 0.6787
- 최적관측지로 설정한 식분값: 0.67
- 최적관측지-수도 일치여부: 불일치

추가 정보

노(魯)나라의 건국은 기원전 11세기지만, 일식 기록은 기원전 8세기(BC 719년)부터 시작하여 240년간 지속된다. 평균식분도의 집중성이 상당히 높으며, 무효일식 비중도 4/37개(11%)로 역대 가장 낮았다.
그 최적관측지의 위치는, 전한/조위의 사례와 유사하게, 한반도 및 요동지역으로 도출되었다.

한편 앞서 진나라에서 확인했던 일식 중복 현상이 이번 노나라 일식에도 보이는데, 노나라 전체 일식 37개 전부, 동시대 주나라의 것과 연속으로 일치한다. 240년간 두 나라가 선택할 수 있었던 약 80개의 모집단에서 37개를 선택한 결과가 서로 똑같다는 것은, 결국 한쪽이 한쪽을 베꼈기 때문으로 해석되며, 필자의 생각에 이전 진나라와 이번 노나라의 일식 기록은, 다음에 소개될 주나라의 일식에서 비롯된 것으로 추정된다.

주(周)나라 낙양시대 평균식분도

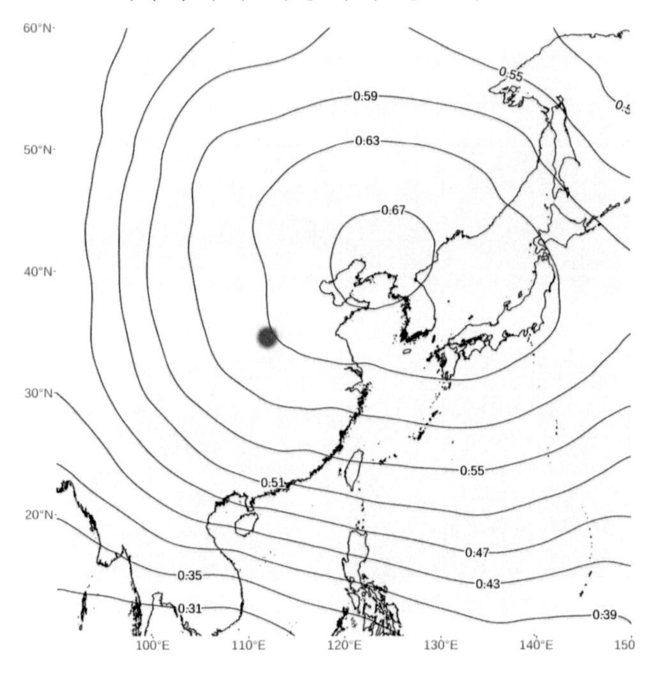

주(周)나라 낙양(낙읍) 수도시대 평균식분도 정보

- 수도(낙양) 존속기간: BC 771년~BC 256년 (약 515년)
- 총 유효일식 개수 : 41개
- 최대 평균식분값: 0.6799
- 최적관측지로 설정한 식분값: 0.67
- 최적관측지-수도 일치여부: 불일치

추가 정보

본 나열 목록의 마지막인 주나라 낙양시대이다. 주나라의 건국은 BC 1046년 기산(장안 부근)에서 시작됐지만, 일식 기록은 1개만을 제외하고 모두 낙양 수도시대(BC 771년)부터 확인된다.

주나라 낙양시대 전체 일식 46개 중 5개는, 동아시아에서 발생치 않았던 일식으로서, 무효율은 11%로 역대 최저 수준, 평균식분도의 형태는 역대 최고 수준으로 균형적이다. 그 최적관측지는 현 요하 지역을 중심으로 생성되어, 결과적으로 역사적으로 알려진 수도와는 불일치 하는 모습을 보였다.

결과에 대한 정리

이상으로 필자가 도출한 35개의 평균식분도를 모두 살펴보았다. 이 중 필자가 미결집 평균식분도로 분류하여 비교 사례에서 배제했던 것은 총 18개였다. 즉 초기신라 수준의 균일한 집중을 보이는 것들만 모아보기 위해, 그 기준에 부합되지 않는 것들을 배제시킨 것이다.

외주본 결집 사례 17개와, 박창범 본의 결집 사례 8개를 합친 총 25개의 사례를 시대순으로 배열하고, 최적 관측지와 수도의 일치 여부를 나타내면 다음과 같았다.

최적관측지=수도 여부

일치

불일치

주 노 진 전한 신라초기 백제 후한 조위 서진 동진 북위평성 북위낙양 남량 일본야마토 당낙양(2) 당장안(3) 신라후기 고려 남송 일본카마 원 북명 조선한양 일본에도 청

그림28. 역대 최적관측지/수도 일치 여부

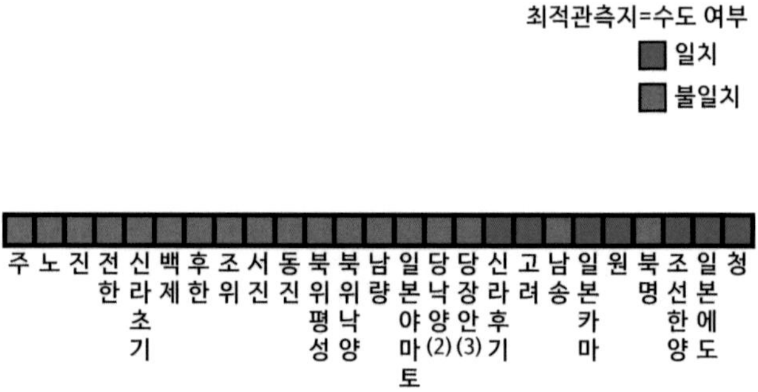

최적관측지=수도 여부
일치
불일치

주	노	진	전한	신라초기	백제	후한	조위	서진	동진	북위평성	북위낙양	남량	일본야마토	당낙양(2)	당장안(3)	신라후기	고려	남송	일본카마	원	북명	조선한양	일본에도	청

전체 25개 중 7개가 일치했고 18개는 불일치했다.

최적관측지가 수도의 위치를 찾아내는 것을 '정확도'라 했을 때, 결과적인 최적관측지의 정확도는 28%로서 비교적 낮은 수준이다. 다만 한가지 눈에 띄는 것은, 최적관측지의 정확성이 특정 시기를 기점으로 양분되고 있다는 점이었다. 후기신라의 일식이 시작되는 8세기 말을 기점으로 그 이후의 국가들은, 총 9개 국가 중 7개가 일치하는 78%의 정확성을 보였는데, 8세기 전의 국가들에 있어서 그 정확성은 0% 때로 추락한다.

필자가 이것을 눈여겨본 이유는, 만일 이 최적관측지란 것이 초기신라처럼, 실제 수도의 위치(경주)와 전혀 무관한 곳(중원)으로 튀어나올 수 있는 불안정한 것이라면, 위 그래프의 전개 양상도 상당히 불안정하게 도출됐어야 했다. 다시말해 다수의 빨간색 안에 몇몇 소수의 파란색이 무질서하게 섞여 있는 그림이 나왔다면, 비로소 이 〈최적관측지=수도〉논리는 그 신빙성이 떨어진다는 결론에 무게가 실렸을 것이다. 허나 결과적으로 도출된 역대 도표는 무질서가 아닌, 특정 시점을 기준으로 그 정확성이 양분되고 있는 것이다.

결과적으로 그림28로부터 필자는, 최적관측지의 정확성이란 것은, 결국 어떤 요소들에 의해 통제되고 있을 가능성을 보았다. 다시 말해, 8세기 이후 국가들에 있어선 그 요인들이 대체로 충족됐기 때문에 78%라는 정확성을 가진 것이고, 그 이전 국가들은 일괄적으로 충족되지 못해, 0%의 정확성으로 떨어졌다는 것이다,

결국 생각의 방향은, 그 요인이 무엇인가 하는 문제로 직결된다. 필자는 우선 파란색 국가들과 빨간색 국가들이 가지는 차이점이 존재하는지를 확인하고자 했다.

앞서 한번 언급했듯, 필자의 생각에 평균식분도의 집중성에 영향을 줄 수 있는 대표적인 요소로는 크게 두 가지가 있었는데, 바로 일식 기록의 기간(존속연대)과 일식 개수였다. 이 중 일식 기록 기간을 먼저 비교해 보면,

그림29. 파란색 국가들의 일식 기록 기간(년)

그림과 같이, 모두가 약 100년 이상의 긴 존속연대를 가지고 있어, 이것은 기본적으로 일식 기록 기간이 길수록 최적관측지의 정확성 또한 상승한다는 추정을 하게 만든다. 허나, 일식 기록 기간이 길었던 국가 중에서도 그 최적관측지와 수도가 불일치 하는 경우가 많았는데,

그림30. 빨간색 7개 국가들의 일식기록기간(년)

따라서 일식 기록 기간이 최적관측지의 정확성을 결정짓는 절대적 요소라 보기는 어렵다. 다음으로 일식 개수(유효일식)를 살펴보면,

그림31. 파란색 국가들의 일식 개수

9	99	38	43	192	119	110개
신라후기	고려	일본카마	원	조선한양	일본에도	청

보는 것과 같이, 그 개수들은 비교적 다양한 분포를 보였는데, 신라후기처럼 극단적으로 적은 것부터 시작하여 점차 개수가 증가하여, 끝에는 조선의 192개에 이른다. 따라서 무작정 일식 개수가 많다 하여 최적관측지의 정확성이 상승한다고 보기는 어렵다. 만약 빨간색 국가들의 일식 개수가 모두 적었다면 얘기가 달라질 수 있겠지만, 다음 그림과 같이, 불일치 국가 중에서도 나름 준수한 일식 개수를 가진 경우가 존재했다.

그림32. 빨간색 6개 국가들의 일식 개수

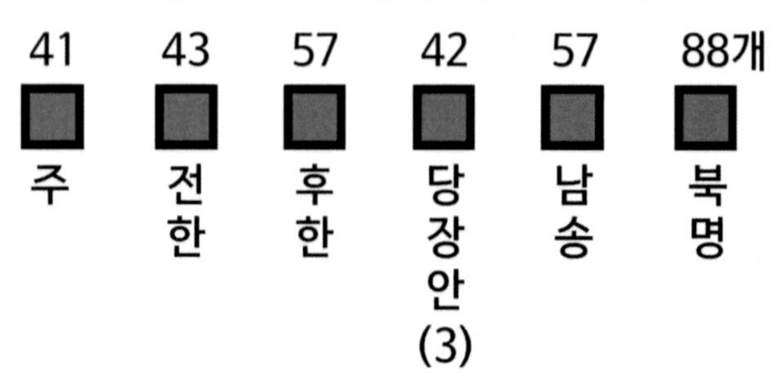

이렇듯, 일식 개수 역시 결정요인이 아니라면, 이번엔 기록 기간과 일식 개수를 동시에 고려해 보자. 일식 기간을 분모로 잡고, 선택된 일식 개수를 분자로 하여 나눈 〈개수/기간〉을 일종의 '일식 선택률'로 정의해 볼 때, 파란색 국가들이 어떤 적정 수치를 가지고 있던 것은 아닐까.

그림33. 파란색 국가들의 일식 선택률

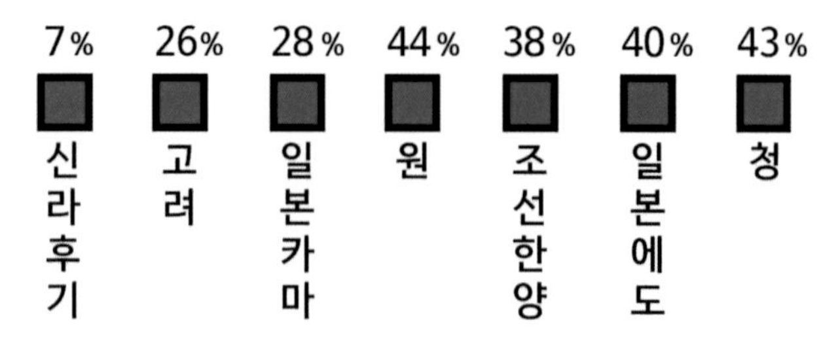

신라후기와 같이 매우 낮은 수치부터, 비교적 다양한 수치가 도출됐지만, 굳이 일관성을 찾아보자면, 신라후기 7%를 예외적인 것으로 두고, 전반적인 수치가 대략 20% ~ 45% 구간을 유지하고 있었다.

그림34. 빨간색 6개 국가들의 일식 선택률

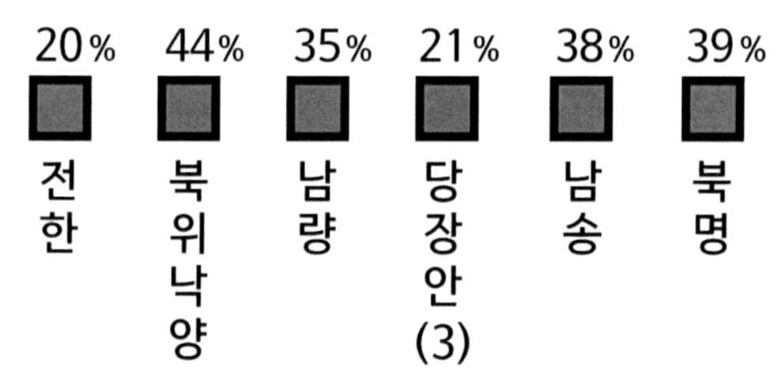

허나 빨간 국가들 역시, 파란 국가들과 비슷한 수치를 보이므로, 이 선택률에 있어서도 파란색 국가만 가지는 독자성은 보이지 않았다.

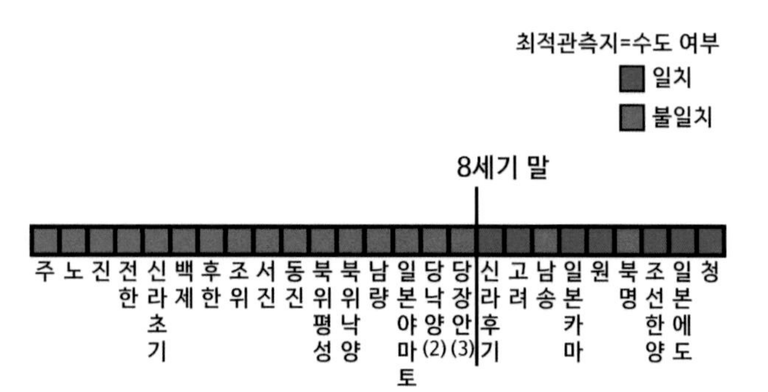

따라서 결과적으로, 일식 기록 기간이나 개수 같은 표면적인 요인들은, 최적관측지의 정확성을 양분했던 원인이 아니었음을 알 수 있다.

지금까지는 국가들의 일식에 대한 수적인 부분에 우선 집중해 본 것이며, 이제부턴 당시의 시대적 상황과 연관된 추론을 하고자 한다.

위 그림을 다시 보자. 일식 기록과 관련하여 특정 시점을 기준으로, 동아시아에 일관된 영향력을 끼칠 수 있는 요소는 어떤 것이 있을까? 결국 추론의 초점은, 8세기 말을 기점으로, 동아시아 전체에 영향을 줄 만한 어떤 중대한 사건이 벌어졌다는 쪽으로 기울게 된다.

최적관측지의 정확성을 양분시켰던 그 중대한 사건에 대한 필자의 견해는 다음과 같다.

1. 천문기술의 발전
2. 일식 기록 조작
3. 역사 왜곡

첫 번째 가설은 바로 '천문기술의 발전'이다. 즉 8세기 후반경, 역법과 같은 천문기술이 급격히 발달하여, 그 혜택을 받은 이후의 국가들은 일식 관측을 더 정확하고, 수월하게 할 수 있었다는 가설이다.

그도 그럴 것이, 9세기 전반 823년에 당나라에서 선명력이라는 역법이 채택되는데, 이 역법은 기존의 일식 계산법을 현저히 진보시켰다. 계산법이 향상됐다는 것은 곧, 일식을 더욱 정확하게 예측할 수 있게 됐다는 것이므로, 관측의 정확성 또한 동반 상승하게 됐을 것이다. 또한 이 선명력은, 기록상 통일신라와 일본까지 전해져 동아시아 전반에 지속적인 영향력을 행사했다.

그러나 이 가설의 한 가지 문제점은, 정작 그 우수한 역법을 전파시킨 당나라가 빨간색 국가라는 것이다. 게다가 그 이후의 중원 국가들(남송,북명)도 계속해서 그 최적관측지와 수도가 불일치하고 있다.

물론 정작 당나라에서는 선명력이 단 71년만 사용됐다는 점도 감안해야 할 테지만, 한번 진보를 이룬 상태에서, 후대로 갈수록 퇴보된 역법들을 사용했다는 것은 부자연스럽다.

또한 이 가설이 맞다면, 9세기 이전의 국가들, 특히 더 고대로 갈수록 일식 관측을 제대로 하지 못했어야 하는데, 도출된 자료에 의하면 오히려 그 반대에 해당한다. 기원전부터 등장했던 주나라, 한나라, 초기신라의 일식 실현율(전체 기록 중 실제 일식을 맞췄던 비율)은 각각 주나라(89%),전한(74%),후한(89%),신라(84%)로서,
9세기 이후 등장했던 원나라(70%), 일본카마(51%), 조선(80%), 청(75%)과 비교했을 때 오히려 더 양호한 수준인 것이다. 따라서 역법의 급격한 발전이, 최적관측지의 정확성을 양분했다 보기는 어려운 측면이 있다.

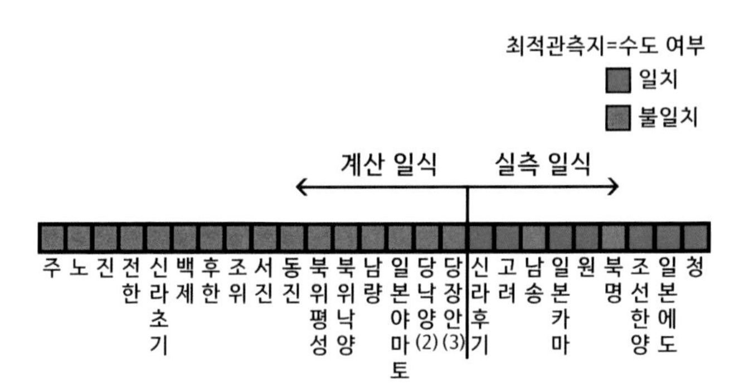

다음의 가설은 '계산 일식설'이다. 그림의 파란색 국가들은 응당 현대와 가까운 시기임으로, 일식 기록의 보존 상태가 상대적으로 더 양호했을 것이다. 반면 8세기 전에 존재했던 국가들은, 그 일식 원본을 유지하기가 상당히 어려웠을 것이기에, 결국 후대인들의 손에 창작되거나 편집됐을 가능성이 존재한다.

다시말해, 본래는 일식 기록이 존재하지도 않았거나, 혹은 유실된 상태였는데, 후대인들이 과거 선조들의 천문역량 및 그 영광을 높이고자, 빈 공간을 계산으로 채워 넣었다는 것이다. 따라서 결과적으로 8세기 이전 국가들의 일식 기록은 비관측 기록들이 주를 이루게 되어, 그 최적관측지 역시 실제 관측지(수도)를 제대로 반영치 못했다는 가설이다.

이렇게 되면 앞서 언급했던, 고대로 갈수록 일식 실현율이 좋아졌던 현상도 자연히 설명될 수 있다. 즉 계산 당사자의 실력에 따라, 일식의 정확성(실현율)이 좌지우지될 것이므로, 가장 먼 고대에 속한 주나라나 전한의 일식 실현율이 양호했던 이유는, 그저 뛰어난 계산 실력을 가진 자의 작품으로 보면 그만이기 때문이다.

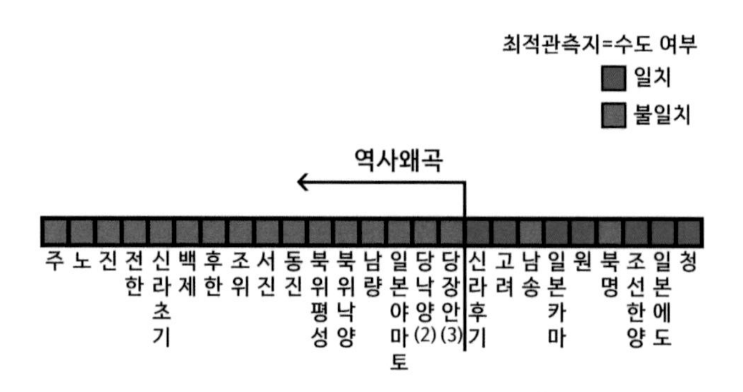

마지막 가설은 '역사 왜곡설'이다. 핵심은, 어떤 국가가 보여준 최적관측지는 사실 그 국가의 실제 수도를 나타내고 있지만, 지금의 우리가 왜곡된 역사교육으로 인해, 그것을 불일치한 사례로 오인하고 있을 수 있다. 다시말해 위 그래프는 사실 양분된 그래프가 아니었고,

본래는 파란색이어야 할 국가들까지 모조리 빨간색으로 인식하게 되면서 벌어진 결과일 수 있다는 것이다.

어떤 국가의 역사는 그 나라 하나에만 국한된 것이 아닌, 주변에 인접하며 교류했던 그 모든 국가들과 역학적으로 얽혀있다. 따라서 어떤 한 국가의 위치를 왜곡하기 위해선, 이와 얽혀있는 다른 국가들도 연속적으로 왜곡해야 하는, 마치 도미노 현상과 같은 왜곡이 벌어졌을 것이다. 이에 결국, 그래프와 같은 연속적인 불일치 현상이 나타나게 됐다는 가설이다.
특히, 왜곡을 당한 국가들의 역사와 그 영토가 굉장히 컸다면, 그러한 연쇄작용의 범위도 더욱 커질 수 밖에 없었을 것이다.

정리하자면 이 '왜곡설'은, 8세기 이후의 동아시아 역사는 기존에 학습된 바와 크게 다름이 없으나, 8세기 이전의 실제 고대사는, 기존 학계가 주장하는 것과는 큰 차이가 있었을 가능성을 제시한다.

또한 이 왜곡설은, 왜곡을 당한 국가의 일식 기록은 실측한 기록이며, 그것이 지금까지도 온전히 전해져 올 수 있었다는 전제가 요구된다. 필자가 이것이 가능하다 여긴 이유는, 어떤 국가의 역사를 왜곡시키려 할 때 주요 목표는, 분명 인물/정치/지리와 관련됐을 가능성이 높다. 그 외의 천문 기록과 같은 자연현상에 대한 기록은, 왜곡의 필요성이 상대적으로 덜 했을 것이며, 오히려 조작의 티를 감추고 원문처럼 보이기 위해 의도적으로 남겨두었을 가능성도 있다.

이상 크게 세 가지 경우의 수를 통해, 최적관측지의 정확성이 양분됐던 이유를 추정해 보았다. 필자는 굳이 3개의 경우로 분류했지만, 실상은 여러 경우의 수가 복합적으로 작용한 결과일 수 있다.

결국 확실한 하나의 결론에 도달하진 못했으나, 적어도 이번 역대 평균식분도 도출을 통해 얻은 것은, 이 최적관측지라는건 수도의 위치와 전혀 무관한 것이 아니라는 점이다. 특정 시기를 기준으로 한쪽으로 몰려나오는 78%라는 정확성은, 〈최적관측지=수도〉논리가 분명 연구될 만한 가치가 있음을 보여주고 있다.

초기신라 일식 평균식분도

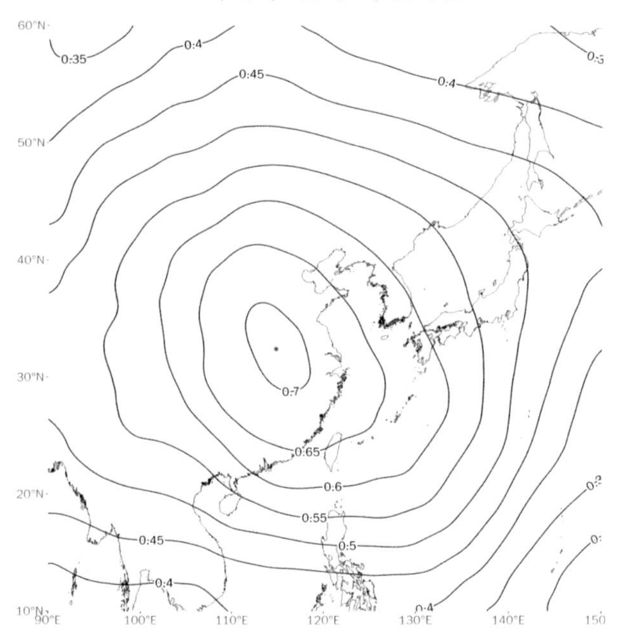

결과적으로 역대 평균식분도 도출을 통해 필자는, 최적 관측지의 정확성이 어떠한 요인에 의해 통제되고 있다는 점은 알 수 있었으나, 확실한 그 실마리는 풀 수 없었다. 따라서 이 모든 연구를 시작하게 했던, 초기신라 최적관측지의 정체에 대한 확고한 결말 역시 얻을 수 없었던 것이 사실이다.

이에 필자는 다른 국가들의 사례는 차치하고, 초기 신라 일식에만 초점을 맞춰 보았다. 연구의 방향은, 신라 일식의 정체에 대한 여러 경우의 수들을 하나씩 검증해 보자는 것이다. 앞서 언급한 계산기록일 가능성, 다른 국가의 일식을 그대로 베꼈을 가능성, 혹은 한반도 경주에서 관측된 것임에도 최적관측지가 그저 엉터리로 나왔을 가능성을, 확률로 측정해 보자는 것이다.

한 국가의 역사서에 일식 기록이 담기는 과정에는 무수히 많은 변수들이 도사리고 있다. 그 모든 것을 고려해 가며 연구를 수행하기는 어렵겠지만, 적어도 가장 유력한 경우의 수만을 뽑아, 그 실현율을 측정해 보는 것은 가능할 것이다. 일식은 결국 모집단에서의 선택이라는 점에 착안한다면, 결국 확률계산이 가능하기 때문이다.

제4화

몬테카를로 실험을 통한 초기 신라 일식 연구

박창범/라대일 교수의 1994년 논문,
'삼국시대 천문현상 기록의 독자 관측 사실 검증'에는 통계학적 방법으로 신라의 일식을 연구하는 부분이 나온다. 삼국사기 신라본기에 기록된, 초기신라 16개의 일식 날짜는, 동시대 중국 한(漢)나라 사서에도 모두 고스란히 기록돼 있다. 다시말해, 초기신라 시대에 한나라는 총 79개의 일식을 기록했는데 그 안에, 초기신라 16개 일식이 모두 들어있다는 것이다. 바로 이점을 들어, 과거 일본 역사학자들을 중심으로, 신라의 일식 기록은 그저 한나라 일식을 베낀 것에 불과하다는 학설이 등장했다.

박 교수는 과연 이 논리가 타당한지 검증하기 위해 하나의 실험을 진행한다. 그 실험은, 앞서 평균식분도 나열에서 필자가 언급한 '최대평균점'을 기초로 시작된다.

그림35. 초기 신라 평균식분도의 최대평균점

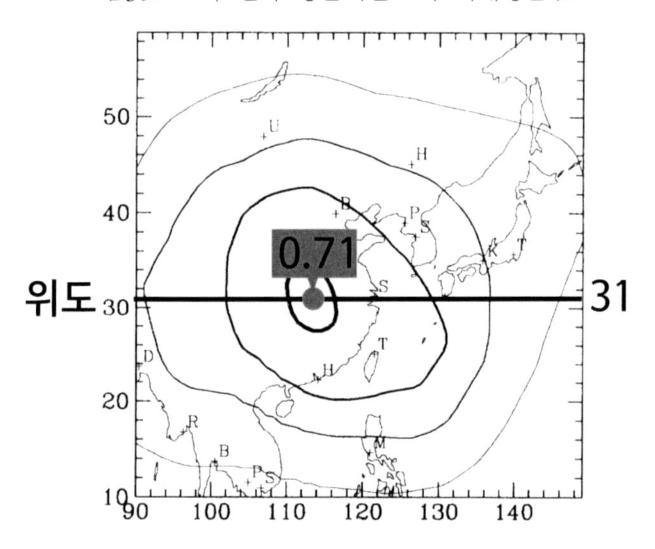

위 신라의 평균식분도에서, 붉은색 점으로 표시한 것이 바로 최대평균점으로서, 최적관측지 안에서도 가장 평균식분값이 높았던 점 지역이다. 0.71이라고 적은 것은 그 점의 값인 '최대평균값'을 뜻하며, 위도 31은 최대평균점의 위치를 나타낸다. 박창범 교수의 실험은, 기본적으로 최대평균점이 가지는 이 두 가지 요소(위치, 값)를 이해하는 것에서 출발한다.

먼저, 이 실험의 기본개념을 쉽게 요약해 보면, '초기신라 일식이 한나라 일식에서 베낀 것인지를 확인해 보기 위해, 직접 수천 번 무작위로 베끼는 작업을 반복하여, 과연 그 중 초기신라처럼 베껴진 경우가 몇 개인지를 확인해 본 것이다.

'초기신라 16개 일식은 한나라 일식 79개에서 베껴진 것이다.' 라는 말을 수학적 모델로 바꿔 말하면, 초기신라의 일식은, 한나라 모집단 79에서 무작위로 16개가 선택된 결과와도 같으며, 그렇게 뽑혀진 16개를 평균해봤더니, 그림35와 같은 최대평균점이 도출된 상황인 것이다. 따라서 박창범 교수는 과연 그러한 최대평균점이 도출될 확률을 구하기 위해, 직접 일식 16개를 랜덤으로 베끼는 작업을 1만 번 실행한 뒤 일일이 그 최대평균점들을 도출해 본 것이다.
(1만 개의 평균식분도를 육안으로 확인하긴 어려우니, 거기서 최대평균점만 추려냈다고 생각하면 쉽다.)

구체적인 실험방법은 다음과 같다. [모집단]에 해당하는 한나라 79개 일식에서, 16개의 일식을 무작위로 추출하는 작업을 1만 번 시행하고, 그때마다 뽑혀진 16개 일식 세트를 매번 평균시켜 총 1만 개의 최대평균점을 도출할 때, 그 결과는 다음과 같았다.

그림36. 1만 개의 최대평균점의 값과 위치(위도)
출처-'삼국시대 천문현상 기록의 독자 관측 사실 검증'

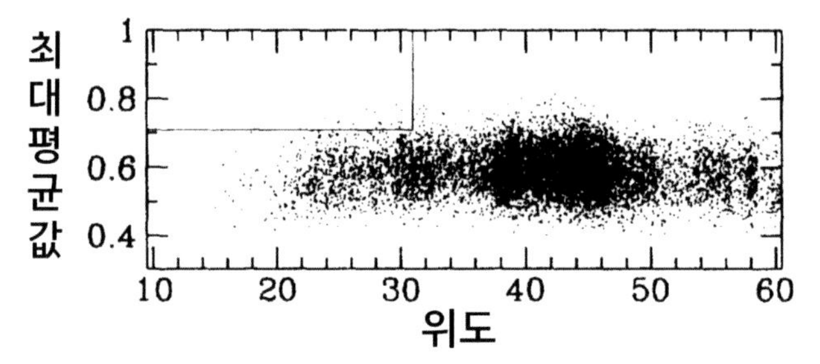

결과적으로 도출된 1만 개의 최대평균점들은, 특정 구역으로 몰려가는 일종의 군집성을 보였다. 즉 (세로축)값은 0.6, (가로축)위도는 38~48을 중심으로 밀집하여, 거기서 멀어질수록 점의 개수도 점차 줄어든다.

그런데 여기서 초기신라 최대평균점의 값은 0.71, 위도는 31로서, 그래프에서의 위치는, 좌상단에 그어진 2개의 선이 교차하는 지점에 있다. 즉 전체적인 분포의 중심 성질에서 극히 벗어난 위치에 자리했던 것이다.
박창범 교수는 과연 초기신라처럼 최대점이 도출될 확률이 얼마인지 계산하기 위해, 초기신라 수준 이상으로 중심에서 벗어나 있는 점들을 세어보았고(좌상단 박스 안의 점들), 그 수는 만 개중에 24개뿐이었다.(0.24%)
이로써 박창범 교수는, 한 번의 추출 시도로 초기신라와 같이 베껴질 확률을 0.24%로 측정했던 것이며,

결과적으로 초기신라 16개 일식은 한나라 모집단에서 무작위 추출된 결과가 아닌, 다시말해 한나라 일식에서 베낀 것이 아니라는 입장을 보인 것이다.

박창범 교수가 사용한 연구 방법은 흔히 몬테카를로 시뮬레이션이라고도 불린다. 즉 무작위 추출과 같은 랜덤 시행을 수천 번 반복해서(본 실험에선 1만번), 얻어진 그 결과를 분석한다.
이는, 79개의 한나라 모집단에서 16개를 베끼는 경우의 수는 총 21566576904406820 개에 달하므로, 그 전체를 조사할 수는 없기에, 그중 일부인 1만 개의 경우의 수만을 뽑아 그 전체를 가늠해 본 것이기도 하다. 그리고 그 1만 개 경우의 수를 2차 가공한 결과(최대평균값 도출)의 분포를 봤더니, 신라의 결과값처럼 나온 경우가 극히 적다는 점을 들어, 신라의 일식은 한나라 일식에서 베낀 것이 아니라는 결과를 이끌어 낸 것이다.

필자는 이 실험에 대한 몇 가지 의문이 들었는데,
우선, 박창범 교수가 무작위로 뽑은 그 1만 개라는 경우의 수가 과연 전체 모든 경우의 수를 대변할 수 있는가에 대한 부분이었다. 즉 앞서 언급했던 천억 개를 훌쩍 넘는 전체 경우의 수 중, 1만 개라는 크기는 극히 일부에 불과하기에, 과연 이 1만 개라는 샘플안에서 벌어진 이 실험이, 어느 정도의 신뢰성을 줄 수 있는가에 대한 의문이었다. 또한, 이 실험의 근원적인 부분으로 돌아가서, 신라가 만약 베낀 것이 사실이라면, 신라는 그저 수많은 경우의 수 중 하나를 뽑은 것뿐이다. 따라서 어떤 16개의 조합이 튀어나오든 사실 이상한 것이 아닐 진데, 신라가 뽑은 그 16개의 2차 결과값이 집단과는 이질적이라는 이유만으로 그 베꼈을 확률을 낮게 측정하는 논리는 과연 성립할 수 있는가?

다시 말해, 신라가 기록한 16개의 일식 날짜는, 어찌됐든 한나라의 일식 안에 모두 있었던 날짜들이다. 단순 이것만으로도 이미 베꼈다는 추론은 성립할 수 있지 않은가? 그런데 그 후 2차적인 계산을 통해, 그 결과값을 분석하는 것은 과연 의미가 있는 일인가?

이러한 의문점은 곧 필자로 하여금 직접 이 실험을 진행해 보게 했다. 그의 실험을 직접 재현하고 검증하는 과정에서, 필자가 품었던 질문에 대한 유의미한 해답을 얻게 될 수도 있을 것이다.

실험 재현

필자가 실험 재현에 있어 박창범 교수와 차별점을 둔 점이 있는데, 바로 '경도'를 추가하는 것이었다. 즉 기존엔 위도만 사용했던 연구에 경도까지 추가하게 되면, 1만 개 최대평균점의 분포를 실제 지도에 맞춰 확인할 수 있게 된다. 여기에 최대평균점의 '값'과 관련된 그래프를 따로 도출하면, 총 2개의 그래프가 완성된다.

또한 모집단의 크기도 조금 변했다. 필자가 '동아시아 일식도'를 기준으로 초기신라 시대(BC54년~201년) 한나라의 유효일식을 확인한 결과, 총 86개였다.(전한19개+후한67개) 이는 기존 박창범 교수의 79개보다 더 많아진 수치인데, 아마도 박 교수의 연구에선 한나라의 기록 중 '다른 곳에서 들어 적었다'는 기록들은 뺐기 때문으로 보인다.
가령 한나라 147년 2월 18일자 일식 기록의 경우 '郡國以聞'란 문구가 추가돼 있는데, 이는 '군국에서 들어 적었다'는 뜻으로, 이런 유형의 일식이 해당 기간에 6개가 확인된다. 따라서 1개의 오차는 있지만, 박 교수의 연구에선 그런 일식들을 기본적으로 한나라의 일식으로 보지 않고 제외했을 가능성이 높다. 필자의 경우는 '들어 적은 기록' 또한 충분히 베껴질 수 있는 대상으로 인식, 이를 모두 포함한 총 86개의 일식을 한나라 모집단으로 선정했다. (박 교수와 의도적으로 차이를 두어, 또 다른 결과가 도출되는지도 볼 수 있을 것이다.)

한나라 모집단 86개의 일식에서 본격적인 추출 작업을 하기 전에, 필자는 이 모집단이 가지는 평균적 성질이 궁금했고, 이에 86개 한나라 일식의 평균식분도를 도출해 보았다.

그림37. 한나라(전한+후한) 86개 일식 평균식분도

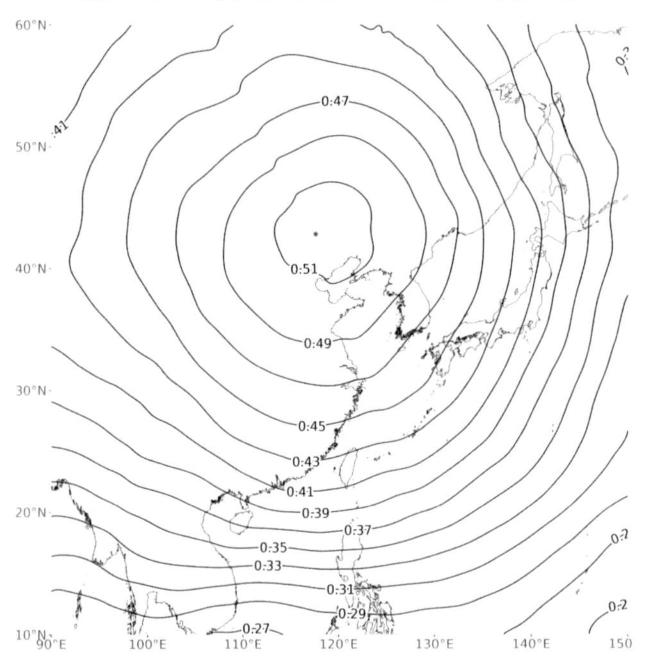

전반적인 평균식분도의 균형은 상당히 양호했으며, 그 최적관측지는 발해만 북쪽에 형성, 최대평균점(붉은점)의 값은 0.518이었다. 즉 한나라 일식 86개의 평균적 성질은, 발해만 북쪽으로 집중되는 형태임을 알 수 있고, 여기서 베껴졌다는 16개의 신라 일식은 중원 양자강 일대로 집중되는 상황인 것이다.

그렇다면 이제, 본격적인 실험을 위해 그 베끼는 작업을 직접 실행한다. 세부 진행 과정을 다시 요약하면 다음과 같다.

초기신라 '한나라 일식설' 검증 실험

[모집단]: 초기신라 당시(BC54~201년) 한나라 사서에 적힌 총 86개 일식(한나라 모집단이라 칭한다.)

핵심가정: 초기신라의 16개 일식이 한나라 사서에서 베껴진 것이라면, 이는 [한나라 모집단]에서 16개가 무작위 선택된 것과 같다.

실험목적: 초기신라 16개 일식이 [한나라 모집단]에서의 무작위 추출일 가능성을 확인

실험방법 : [한나라 모집단]에서 16개 날짜를 무작위로 1만 번 추출하고 매번 평균하여, 결과적으로 도출된 1만 개의 최대평균점 중 '신라의 최대평균점'과 유사하게 나온 경우를 확인한다.

그림38. 1만 개 최대평균점의 위치 분포

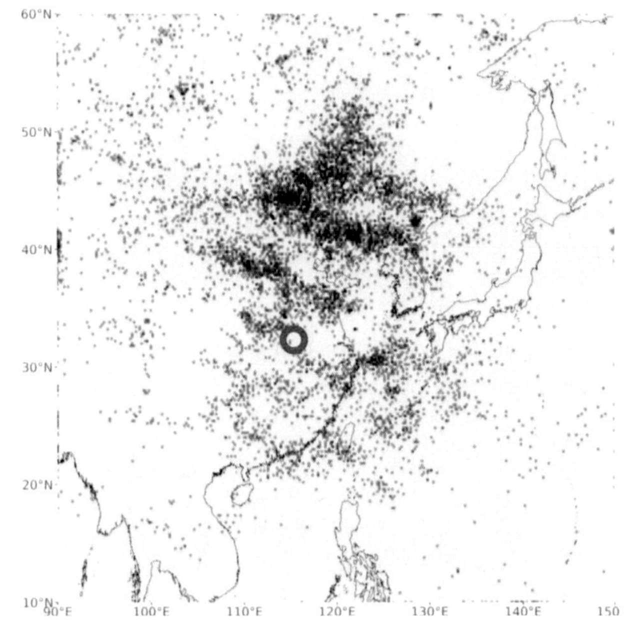

(붉은색 원이 초기신라 최대평균점의 위치)

도출된 1만 개의 최대점들은, 발해만 북쪽에 다수가 몰려있는 형태를 띠고 있는데, 이는 그림37에서 확인했던 모집단의 성질을 일정 수준 닮아 나온 것으로 해석된다. 이제 중요한 것은, 이 분포 그림을 통해 과연 초기신라의 최대점처럼 나올 확률을 구하는 것이 가능한지에 대한 여부이다.

그림38에서 붉은색 원으로 표시한 위치가 바로 초기신라의 최대평균점이 위치했던 자리이다. 직관적으로 볼 때, 붉은색 지역엔 점들이 거의 없는 것을 알 수 있고, 이를 통해 초기신라의 최대점처럼 나올 확률 역시 상당히 낮다는 것을 짐작할 수 있다.

다만, 그 정확한 확률까지 계산하기엔 다소 복잡한 변수들이 존재했다. 전체적인 점들의 분포가 발해만 유역에 밀집은 되어 있으나, 밀집 지역을 벗어나 산발적으로 분포하는 점들도 다수 확인되는, 일종의 불규칙성이 존재했던 것이다.
따라서 이것은, '특정 위치로 점이 나올 확률'을 구하는 것에 있어 상당한 불확실성을 야기할 수 있기에, 필자는 그림38로부터 확률을 도출하는 것은 차치하고, 다음 자료인 최대평균점의 '값'에 대한 부분을 주목했다.

다음 그림은, 도출된 1만 개 최대점들이 가지는 값의 빈도분포를 보여준다.

그림39. 1만 개 최대평균값의 분포

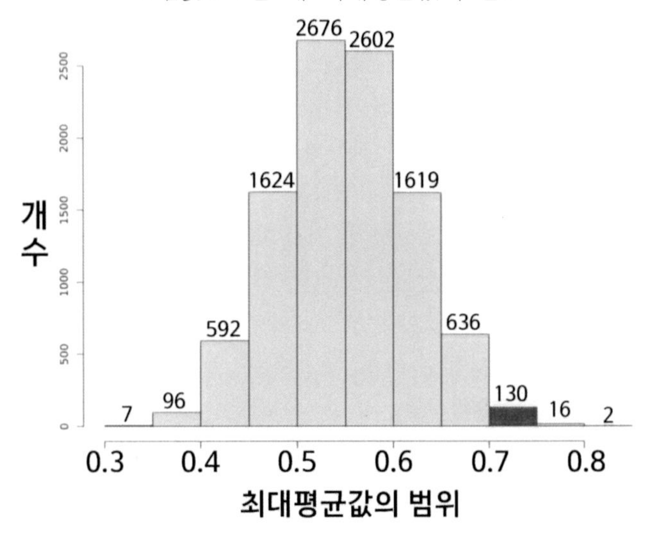

전체적인 분포가 정규분포에 가까운 형태로서, 값 0.5~0.6 사이로 집중되는 모습을 보인다. 여기서 신라 최대평균값(0.71)이 위치한 범위는 붉은색 영역이며, 신라처럼 0.7이상의 값을 가지는 경우는 모두 **148개** 뿐이었다. 즉 만개 중 148개로서, 그 확률은 1.48%로 매우 낮게 도출되어, 박창범 교수의 연구 결과와 그 맥을 같이 하고 있다.

그렇다면 여기서, 필자가 의문을 가졌던 부분에 대한 고찰이 요구된다. 박창범 교수의 실험에서 첫 번째 의문이었던 부분, 과연 이 1만 개라는 샘플이, 전체 모든 경우의 수를 대변할 수 있는가에 부분이다. 다시말해 그림39가, 초기신라처럼 뽑혀질 확률이 극히 적다는 것은 보여줄지언정, 이 1만 개의 샘플이, 당시 신라가 뽑을 수 있었던 전체 모든 샘플과 전혀 상관없는 형태라면, 애초에 이 1만 개로부터 어떠한 확률을 도출한들 그것은 무의미한 일이 될 것이다.

이와 관련된 수학적 증명 사례가 있는데, 바로 '중심극한정리'이다. 중심극한정리를 지금 이 상황에 대입하여 설명해 본다면, 1만 개 정도를 뽑아 이미 그림39와 같은 정규분포적 데이터를 얻었다면, 뽑는 횟수를 그 이상으로 증대시킬수록, 더욱더 가운데 쪽으로 몰려가는, 뚜렷한 형태의 정규분포를 형성한다는 것이다.
이 말은 결국, 신라가 베낄 수 있었던 그 모든 경우의 수(한나라 86개에서 16개를 뽑는)로 계산한 그 최대평균값의 분포도 대략 다음 그림과 같이,

그림40. 모든 경우의 수에 대한 최대평균값 분포

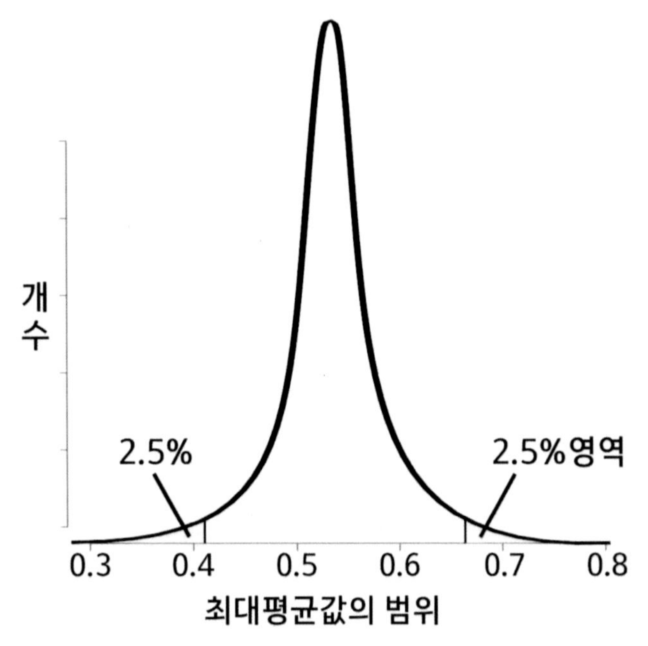

더욱 가운데 영역(0.55부근)으로 밀집된 정규분포를 띠게 된다는 것이다. 그리고 바로 이 자료로부터, 추론통계학에서 사용되는 '통계적 유의성'을 따져볼 수 있는데, 통계적 유의성을 이번 실험에 맞춰 설명해 보면, 위 그림에서 노란색으로 표시한 양쪽 끝 2.5% 영역안에 위치한 값들은, '우연히 도출되기는 어려운 값'들이라는 것이다. (연구에 따라 5%로 설정하기도 한다.)

그리고 이전 그림39를 단서로, 초기신라 최대평균값(0.71) 역시 2.5% 영역 안쪽에 위치함을 알 수 있는데, 왜냐하면 더 펑퍼짐한 형태인 1만 개 정규분포(그림39)에서 이미 0.7이상의 영역이 1.48%(148개/1만개)로 확인됐기에, 실제 모든 경우의 수를 나타낼 그림40에서도, 0.7이상의 영역은 기존 1.48%보다 더 낮아진 채 노란색(2.5%영역)안에 들어가게 된다는 것이다.

그림40의 우측 끝 확대

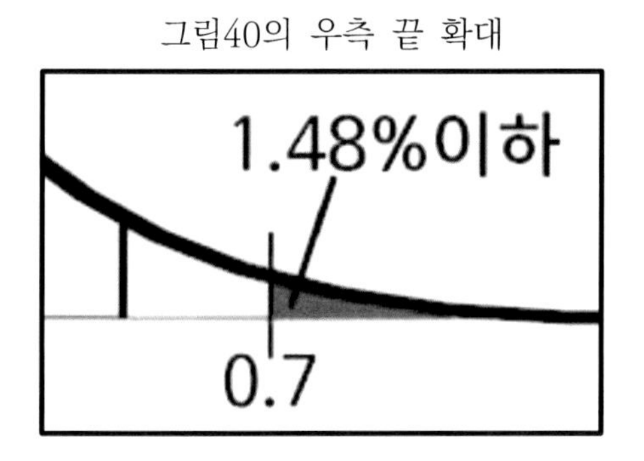

따라서 최종적으로, 초기신라가 뽑은 0.71이라는 결과값은, '통계적으로 유의한 수치' 즉 확률적으로 우연히 발생할 가능성이 거의 없다는 것으로서, 결과적으로 초기신라 일식 16개는, 한나라 모집단에서 무작위로 선택(베껴적은)된 결과가 아님을 보여준다.

바로 이 부분이, 필자가 의문을 가졌던 것에 대한 해답이 된다. 물론 신라의 결과값이 유의한 수치라는 것이 곧, 절대 그 일이 벌어질 수 없다는 것은 아니다. 애초에 신라의 16개 일식 날짜는 이미 모두 한나라 모집단에 들어있었으므로, 그런 말은 성립될 수 없다.
다만, 이번 연구가 보여주는 것은, '그럴 가능성이 매우 낮다'라는 것이다. 만약 신라가 정말 한나라 일식을 베껴 16개를 선택했다면, 확률상 그 최대평균값의 위치는 그림40에서 95%영역안에 위치했을 것이다. 그러나 초기신라의 것은 이를 회피한 극소수의 영역에 자리했고 이는 곧, 신라의 16개 일식은 [한나라 일식]에서 무작위로 뽑힌 결과가 아니었음을 보여주었다.

지금까지 했던 '한나라 일식설'에 대한 실험은, 사실 초기신라 일식 정체에 대한 여러 경우의 수 중 하나만을 검증해 본 것이다. 따라서 필자는, 이 몬테카를로 시뮬레이션을 이용하여 더 많은 경우의 수들을 검증하고자 했다. 일식 기록이란, 결국 '모집단에서의 선택'이기에, 연구자가 설정한 모집단에 따라 다양한 실험 결과를 제공할 수 있기 때문이다. 초기신라 일식 정체에 대한 추가적인 경우의 수는 다음과 같이 크게 세 가지로 정리할 수 있었다.

초기신라 일식 16개는,

1) 계산만으로 생성된 날짜들이다.
2) 한반도 경주에서 관측된 것이다.
3) 최적관측지의 위치인, 중원에서 관측된 것이다.

이 중 3번은 유력한 가설이기보단, '검증할 만한 가치가 있는 설'이라는 표현이 더 맞을 것이다. 지금의 역사학계, 그리고 다수의 대중들 사이에선 하나의 가설로도 인정받지 못하겠지만, 필자는 역대 평균식분도 도출을 통해 최적관측지와 그 수도가, 상당한 연관성를 가짐을 확인했다.

그럼 지금부터, 위 3개의 가설을 검증한 과정과 그 결과를 소개한다. 각 실험마다 모집단의 범위와 부차적인 요소들은 달라지지만, 기본적으로 '1만 번 반복 추출'이라는 실험 방식은 동일하게 적용한다.

#1. 계산 일식일 것이다.

이 가설은 기본적으로 한반도 경주에 초기신라가 있었다고 보고, 그들의 일식 기록은 실측된 것이 아닌, 계산만으로 적었기에, 그 최적관측지 역시 아무렇게나 엉뚱한 곳(중원)에 나왔다는 논리이다.

즉, 본래 초기신라 당시엔 일식 기록 자체가 없었거나 유실됐는데, 후대에 와서 일식을 역산하는 방식으로 채워 넣었다는 것으로, 이는 당시 계산자의 실력이 매우 뛰어났음을 가정하는 것이기도 하다. 왜냐하면 초기신라가 적은 총 19개의 일식 중 16개가, 실제 동아시아에서 발생했던 유효일식이었기 때문이다.

초기신라의 일식이 모두 계산된 결과인지를 검증하기 위해 우선, 기록된 날짜 간에 어떤 규칙성이 있었는지를 확인해 볼 필요가 있다. 계산만으로 적힌 날짜라면, 어떠한 규칙성을 가질 확률이 높기 때문이다.

다음 그림은, 초기신라의 총 19개 일식날짜(서력)들의, 간격을, 년도를 기준으로 나열한 것이다.
(색칠된 3개의 날짜는 실제론 일식이 없었던 무효일식)

그림41. 초기신라 총 19개 일식날짜와 그 간격

	날짜(0년포함)	간격(년도기준)
	-53.5.9	20
발생X	-33.8.23	6
	-27.6.19	2
	-25.10.23	11
	-14.3.29	13
	-1.2.5	3
	2.11.23	4
발생X	6.11.10	10
	16.8.21	108
	124.10.25	3
	127.8.25	14
	141.11.16	25
	166.2.18	20
	186.7.4	7
	193.2.19	1
	194.8.4	6
	200.9.26	1
	201.3.22	55
발생X	256.12.3	

신라의 일식 날짜들에선 특별한 규칙이 확인되지 않았는데, 특히 고대에 가장 대표적으로 쓰였다는 사로스 주기(18년 약10일)와도 연관성을 보이지 않았다. 허나

이처럼 규칙성이 없다는 것이, 신라 일식이 계산된 결과가 아님을 확정하진 못한다. 고유의 어떤 불규칙한 계산법을 썼을 수도 있고, 혹은 처음엔 다량의 규칙적인 날짜들을 도출했었으나, 그중에서 19개만을 취한 결과일 수도 있기 때문이다. 다만 그 어떤 사례가 됐든, 신라가 최종 선택한 19개의 일식 날짜는 결국 모집단에서 일부가 선택된 상황으로 귀결된다. 단지 그 선택을 하는 데 있어 '계산'이라는 도구를 사용했을 뿐, 다른 일식들이 계산되어질 수 있는 상황에서 특정 일식만이 계산된 것 또한 무작위 선택의 한 형태로 볼 수 있다는 것이다. 바로 이점에 착안한다면, 이 '계산 일식설' 역시 무작위 실험을 통한 검증이 가능하게 된다.

그렇다면 그 정확한 모집단의 범위는 어떻게 설정해야 할까? 모집단의 성질은 응당 [당시 계산 가능했던 모든 일식]이 돼야 한다. 바로 이 모집단에서 19개가 계산되어 신라본기에 기록됐다는 관점이다. 그리고 모집단인 [계산 가능했던 모든 일식]은, 당시 신라의 계산 수준이 어느 정도였는지에 따라 달라진다. 우선, 유효일식(동아시아에서 실제 발생한 일식)의 비율을 살펴보자. 초기 신라의 총 19개 일식 중 16개가 유효일식임으로, 이는 84%의 계산 정확도를 가졌다고 할 수 있다. 또한 좀 더 세부적으로 들어가면, 유효일식 16개 중에서도 2개는 경주에서 볼 수 없었기에, 이 모든 변수들을 고려할

시, 당시 신라의 계산 수준에 대한 여러 가지 가설이 생겨날 수 있다. 다만 필자는 본 실험에 있어 신라의 계산 수준을 다음과 같이 하나로 정의한다.
사실상 무효일식은, 확률계산에는 의미가 없는 허수이기에 이를 배제한 '유효일식'만을 고려한다. 또한 경주에서 볼 수 없었던 일식들은, 당시 신라의 계산 수준이 어느 특정 지역의 식분까지 계산할 정도는 아니었다고 볼 때, 결과적으로 필자는 당시 신라의 계산 수준을 '유효일식까지만을 100% 맞출 수 있었던 수준'으로 가정한다. 즉 근본적인 계산의 목적이, 과거의 '유효일식'을 찾아내는 데 있었다고 가정할 때, 초기신라가 계산한 16개의 일식은 곧 [당시의 모든 유효일식]에서 16개가 선택된 결과로 보겠다는 것이다.

모집단으로 설정한 [당시 모든 유효일식]이란 곧 [당시 동아시아에서 발생했던 모든 일식]을 뜻한다.
박창범 저 '동아시아 일식도'를 기준으로 [당시 동아시아에서 발생했던 모든일식]의 개수를 세어보면, 초기신라 당시(BC54~201년) 총 163개의 일식이 동아시아를 지나갔다. 허나 그중에는, 다음 그림과 같이, 동아시아 외곽으로만 지나갔던 일식들도 다수 포함돼 있었는데,

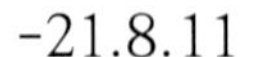

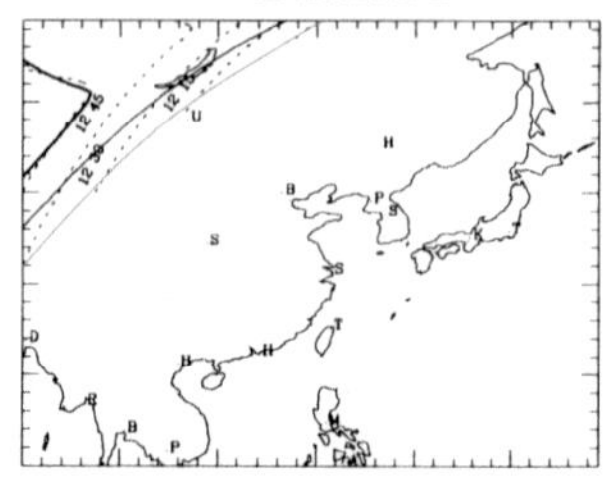

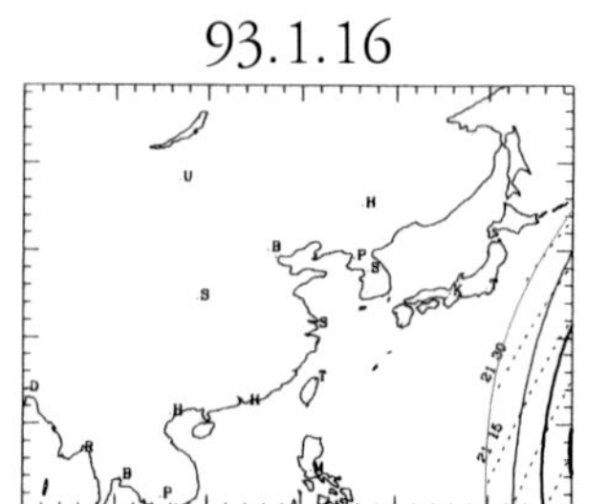

그 수가 총 47개에 달했던 이러한 외곽일식들은, 실질적으로 '동아시아를 지나갔다'고 보기는 어려운 측면이 있었다. 만일 신라가 선택했던 16개 유효일식 안에, 저러한 외곽 일식들이 다수 포함돼 있었다면 얘기가 달라지겠지만, 결과적으로 신라가 선택한 일식 중에는 저러한 외곽일식은 존재하지 않았다.

따라서 이 47개의 외곽 일식들은, 기본적으로 당시엔 계산되지 않았을 일식들로 간주하여 모집단에서 제외하고 남은 116개의 일식만을, 최종적인 모집단으로 설정했다. (편의상 [동아시아 모집단]이라 칭한다.)

본격적인 추출실험에 들어가기 전, 필자는 [동아시아 모집단]의 평균적인 성질을 확인해 보기 위해, 그 116개 일식들의 평균식분도를 도출해 보았다.

그림42. [동아시아 모집단] 116개 일식의 평균식분도

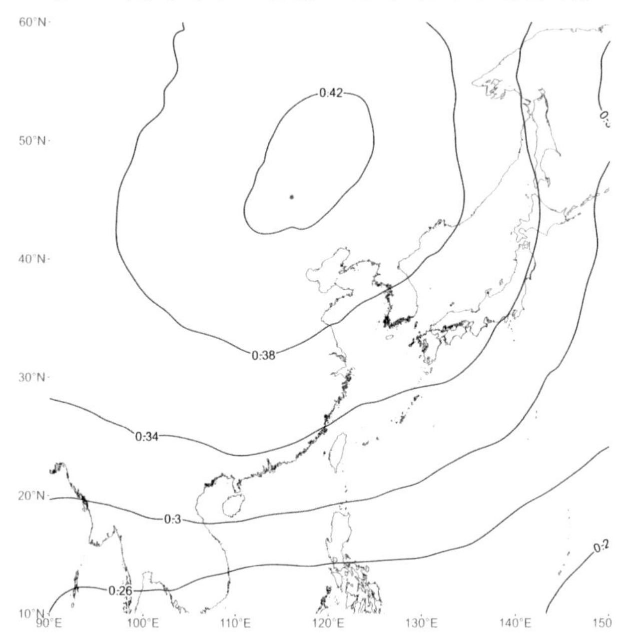

균형적인 집중도를 유지하며, 그 최적관측지(평균식분값:0.42)는 현 내몽골 일대로 형성됐다. 이것은, 이전에 살펴본 [한나라 모집단]과 비슷한 양상인데, 그때의 한나라 모집단은 이보다는 좀 더 아래쪽에 그 최적관측지(0.51)를 형성하고 있었다. 두 평균식분도가 이처럼 유사한 원인은, 애초에 [동아시아 모집단 116개]안에 [한나라 모집단 86개]가 전부 포함됐었기 때문으로 본다.

다시말해 이전 [한나라 모집단]은, 당시 동아시아를 지나갔던 전체 일식의 약 74%에 육박한 수치였다.

잠시 몬테카를로 실험과 벗어난 부분을 언급하고자 한다. 이번 [동아시아 모집단]의 평균식분도가 필자에게 주었던 의미는 다음과 같다.
[동아시아 모집단]과 같이, 실제 어떤 한 곳에서 관측되지 않았던 일식 집단이라 하더라도, 그 평균식분도의 집중 형태는 양호할 수 있다.
[동아시아 모집단] 116개의 일식은, 어떤 국가가 실제 한곳에서 관측해서 적은 기록이 아닌, 본 실험을 위해 필자가 당시 동아시아를 지나갔던 모든 일식들을 그저 취합해 본 것이다. 그런데도 그 평균식분도의 모양은 상당히 균일한 모습을 띠고 있었고, 결국 이것이 의미하는 것은, 어떤 국가의 평균식분도가 균일한 동심원에 가깝다고 하여 무작정 그 최적관측지를 수도의 위치로 맹신해선 안된다는 것을 보여준다.

다만, 필자의 생각에 [동아시아 모집단]이 균일한 집중도를 형성했던 가장 큰 원인은 바로 '다수의 일식개수' 때문일 것이다. 즉 116개라는 다수의 일식들을 평균하게 되면, 필자가 '집중의 요건'에서 언급했었던 '일식의 다양성'이 포화 수준으로 충족되고, 그 안에 필히 존재할 평균식분이 최고인 지역을 중심으로 균형적인 최적관측지가 형성될 가능성이 있다는 것이다. 따라서 초기 신라와 같이 16개의 비교적 소수 일식의 경우와는 분명 구분돼야 할 현상인 것이며, 역대 국가목록에서
116개 수준으로 많은 일식을 보유했던 4개의 국가들(고려99/에도일본119/조선192/청110)은 모두 그 수도와 최적관측지가 일치하는 모습을 보였기에, 결과적으로 [동아시아 모집단]의 평균식분도가, 〈최적관측지=수도〉 논리를 근본적으로 반박하는 사례는 될 수 없을 것이다.

그럼 다시 '신라 계산 일식설' 검증을 위한 몬테카를로 실험으로 돌아가 보자. 해당 실험을 요약해 보면 다음과 같다.

초기신라 일식 계산설 검증 실험

[모집단]: 초기신라 당시(BC54~201년) 동아시아에서 발생했던 전체 일식 116개
(편의상 [동아시아 모집단]이라 칭한다.)

핵심가정: 계산만으로 16개의 신라 일식이 도출됐다면, 이것은 [동아시아 모집단]에서 16개를 무작위로 선택된 것과 같다.

실험목적: 초기신라 16개 일식이 [동아시아 모집단]에서의 무작위 추출일 가능성 확인

실험방법 : [동아시아 모집단]에서 16개 날짜를 무작위로 1만 번 추출하고 매번 평균하여, 결과적으로 도출된 1만 개의 최대평균점들 중 '신라의 최대평균점'과 유사한 경우를 확인한다.

그림43. 1만 개 최대평균점의 분포

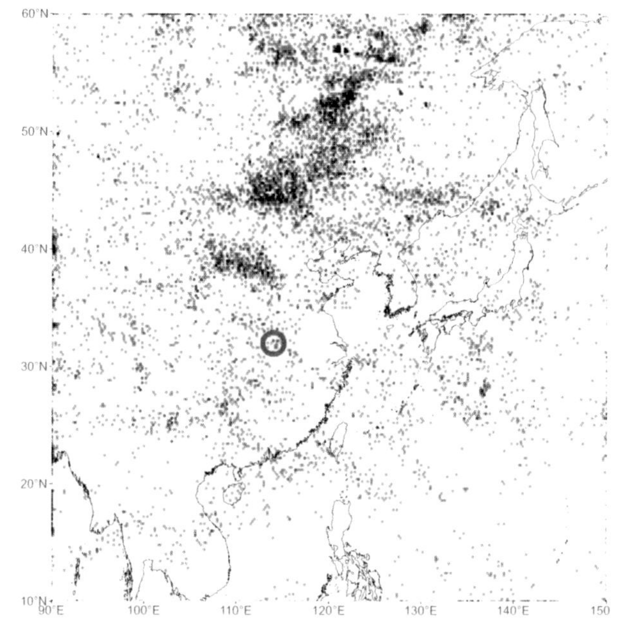

(붉은색 영역이 초기신라 최대평균점의 위치)

군집을 보이는 영역이 일부 확인되긴 하나, 전반적인 분포는 매우 산발적이다. 이 같은 분포의 주 원인은, 116개라는 모집단 크기에 비해 추출 표본 크기가 16개로 매우 적기 때문일 것이다. 따라서 앞서 한번 언급한 대로, 군집에서 벗어난 다수의 점들이, 확률적 불확실성을 증대시키고 있기에, 이번의 위치자료 역시 참고적 의의만을 두고, 최대평균값의 분포를 살펴보았다.

그림44. 1만 개 최대평균값의 분포

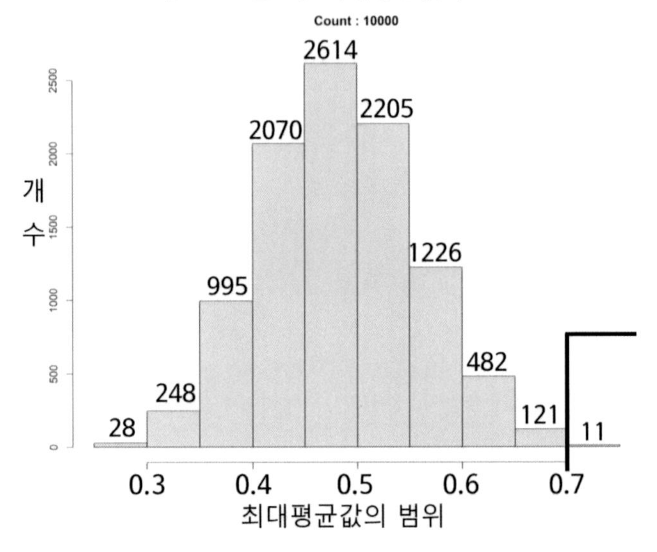

초기신라처럼 최대평균값이 0.7이상 되는 점들의 개수는 만 개 중 11개뿐이었다. 즉 0.1%의 영역으로서, 이 역시 앞서 언급한 '통계적 유의성' 검증 범위 2.5%안에 위치하여, 결과적으로 유의한 수치가 된다.

다시 말해 초기신라의 일식은, [동아시아 모집단]에서 무작위 추출로 나온 결과가 아니라는 것이며, 이는 곧 '계산 일식설'의 실현율도 0%에 가깝다는 것을 의미한다.

지금까지의 '계산 일식설' 검증 실험을 요약하면 다음과 같다. 필자는 초기신라 16개 일식이 계산된 결과라면, 이는 [동아시아 모집단]에서 16개가 우연 선택된 것과 다름없다 보았고, 1만 번의 무작위 추출 실험 결과, 그러한 우연이 벌어질 가능성은 0.1% 미만이었다. 이는 곧, '초기신라 일식 계산설'은 그 실현 확률이 거의 없음을 의미했다.

#2. 경주에서 관측된 것이다.

초기신라 일식에 대한 두 번째 가설인, '한반도 경주 관측설'이다. 기존 역사학계의 견지와, 신라 고유 관측설을 동시에 만족시키는, 사실 가장 유력한 가설이다.

이 가설은, 초기신라 16개 일식은 한반도 경주에서 꾸준히 실측된 결과지만, 단지 그 최적관측지가 중원으로 나왔을 뿐이라는 의견으로, 이는 애초에 일식을 실제 관측했던 곳(수도)과, 일식을 가장 잘 볼 수 있었던 지역(최적관측지)은 서로 연관이 없다는 관점이기도 하다.

이 '경주관측설'에서 주로 사용되는 논리는, 초기신라의 평균식분도에서, 최적관측지의 식분값과 경주의 식분값이 별반 차이가 없다는 점을 주목한다. 즉 다음 그림과 같이,

그림45. 초기신라 평균식분도의 두 지역 식분값 비교

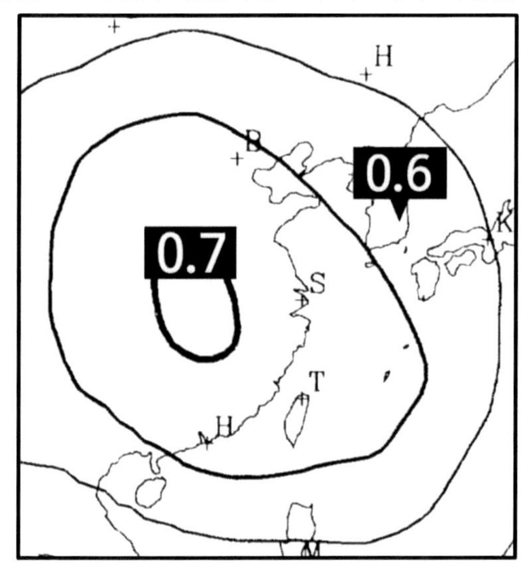

두 지역의 평균식분값엔 큰 차이가 없다는 것이다.
경주지역의 평균식분값은 0.6인데, 이는 곧 경주에서도 초기신라 전체 일식을 평균적으로 해의 절반이 가려지는 수준으로 관측 가능했음을 의미한다. 다시말해 0.7 최적관측지는, 그저 수치상으로만 가장 잘 볼 수 있었던 지역일 뿐, 실제 관측지는 역사적 상식대로 응당 경주가 돼야 한다는 것이다.
다만 이러한 논리는, 이미 선택된 16개의 일식이 보여주는 그 결과에만 초점을 맞춘 것이며, 앞서 몬테카를로 무작위 실험을 통해 필자가 검증했던 것은,

가장 첫 단계인 '선택 과정'에 있어 문제를 제기하는 것임을 잊지 말아야 한다. 다시말해 '경주관측설'을 지지하는 논리의 대부분은, 16개의 일식이 어떤 모집단에서 나온 것인지엔 주목하지 않는다. 허나 이 몬테카를로 실험은, 가장 유력한 모집단을 설정하고, 거기서 초기신라와 같이 선택될 그 실현율을 측정하는 것이다.

그렇다면 이 '경주관측설' 검증에 있어 그 정확한 모집단은 어떻게 설정해야 할까. '경주에서 일식을 관측해서 적었다'는 것은 결국 [당시 경주를 지나갔던 모든 일식] 중에 일부가 관측되어 기록됐다는 것이다. 다시말해 '경주관측설'이 사실이라면, 신라의 16개 일식은 곧 [경주에서 볼 수 있었던 모든 일식]중에 16개가 무작위 선택됐다는 것이며, 추출실험을 해본다면 그 실현율을 따져볼 수 있게 된다.

우선, 모집단의 범주를 좀 더 확실히 해보자.
[당시 경주에서 볼 수 있었던 모든 일식]은 총 몇 개일까. 박창범 저 '동아시아 일식도'를 기준으로, 초기신라 당시(BC54~201년) 경주에서 볼 수 있었던 모든 일식을 확인한 결과, 총 78개의 일식이 존재했고,(참고로 경주에서의 식분이 약 0.1미만으로 떨어지는 일식들은 관측불가로 판단하여 제외했다.) 그 평균식분도는 다음과 같았다.

그림46. [모집단] 초기신라 당시 경주에서 관측 가능했던 총 78개 일식의 평균식분도

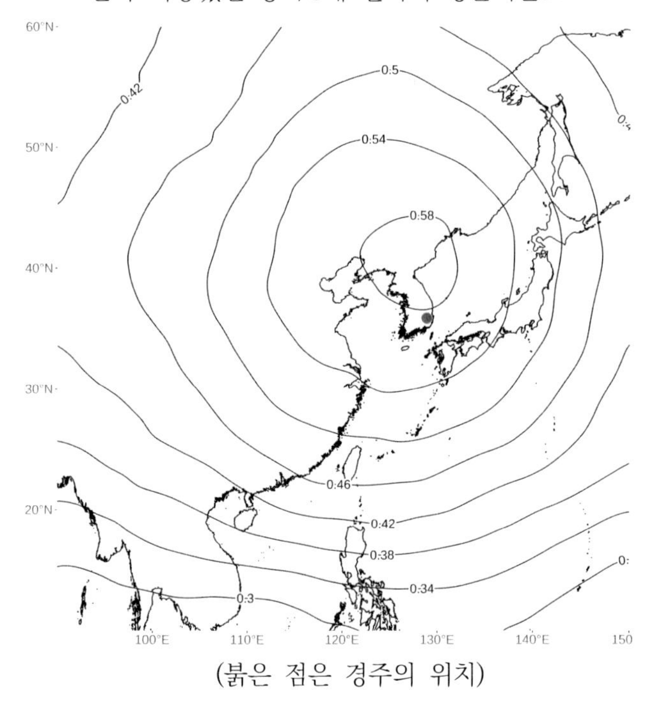

(붉은 점은 경주의 위치)

위 그림에서 한가지 눈에 띄는 것은, 그 최적관측지가 한반도 경주지역을 미세하게 벗어나 있다는 것이다. 물론 최적관측지 크기의 세부 설정에 따라 달라질 수도 있는 부분이지만, 결과적으로 필자가 설정한 최적관측지에는 경주가 포함되지 않았다.

초기 신라 당시[경주에서 볼 수 있었던 모든 일식]을 평균했음에도, 그 최적관측지가 경주를 미세하게 벗어나 있는 것은 어떻게 이해할 수 있을까? 즉 최적관측지란 것이, 실제 관측지를 반영하는 것이라면, 경주에서 볼 수 있었던 모든 일식을 평균했을 때 응당 그 최적관측지는 경주를 포함해야 하는 것 아닌가?

이에 대한 필자의 견해는 다음과 같다.
만약 그림46의 최적관측지가 일본이나 중원대륙과 같이, 경주와 전혀 동떨어진 곳에 형성됐다면 상황은 달라졌겠지만, 결과적으로 그 최적관측지는 경주와 매우 근접한 곳으로 형성됐다. 다시말해 이번 평균식분도 사례는 필자에게 있어, 최적관측지가 수도를 찾아내는 정확성이 100%는 아니라는 일종의 한계성을 보여줌과 동시에, 거시적인 측면에서 수도의 위치를 검증하는 데 있어서는 분명 유용한 참고 자료로 활용될 수 있음 또한 보여주고 있는 것이다.

한편, 이번 '경주관측설' 검증 실험에 있어, 기존과는 다르게 진행해야 할 부분이 있었는데, 바로 16개였던 기존 유효일식 개수를 수정하는 것이었다. 초기신라 16개의 유효일식 중 2개는 당시 경주에서는 볼 수 없었는데, 다음 그림과 같이,

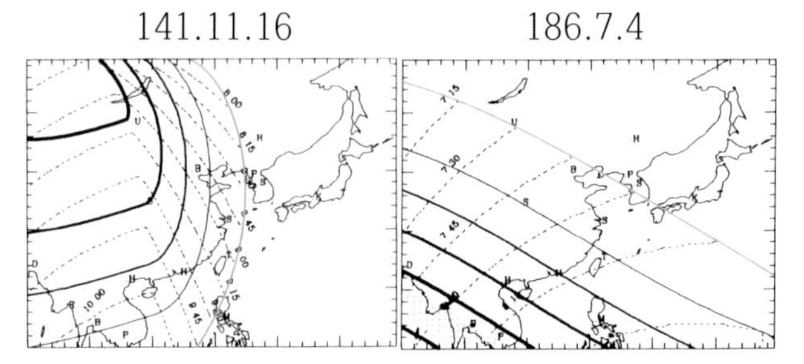

이 두 개의 일식은 한반도 경주에서는 볼 수 없었던 일식이었다. 허나 본 실험은 '경주관측설'이 사실이라는 가정하에 진행되는 것이므로, 이 2개의 일식은 그저 당시 경주 관측관의 실수로 보아, 본 실험에선 제외한다.

즉 이번 실험은, 초기신라의 16개의 유효일식 중, 경주에선 볼 수 없었던 2개를 제외한, 14개 만을 검증 대상으로 진행하는 것이며 이는 곧, 초기신라는 애초에 그 14개의 유효일식만을 경주에서 관측했다는 가정이기도 하다. 이렇게 되면, 기존에 봤었던 초기신라 평균 식분도의 형태에도 변화가 생긴다. 즉 다음과 같이,

그림47. 초기신라 14개 일식 평균식분도

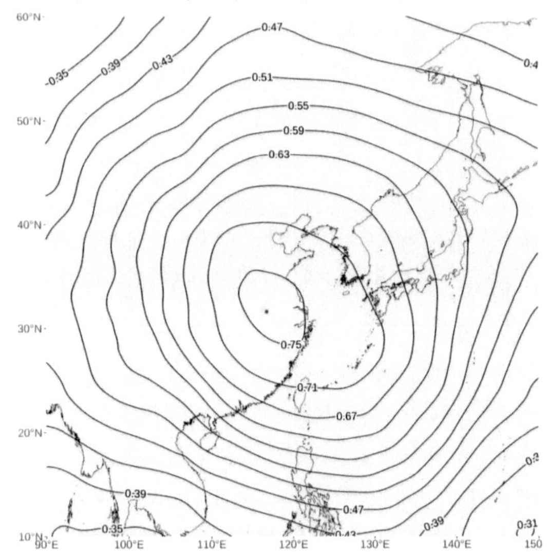

아래는 기존 16개 평균식분도

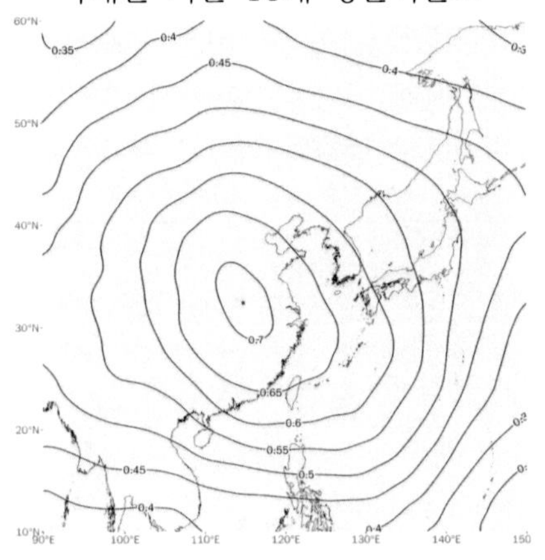

이번 14개 일식의 평균식분도는 기존 것과 차이를 보일 수밖에 없다. 대표적으로 최적관측지의 위치가 우측으로 조금 이동됐으며, 최대평균값(붉은점 위치)도 기존의 0.71에서 0.7598로 상승했다.
따라서 본 추출실험에도 이런 변화들이 반영돼야 한다. 이 최대평균점은 본 실험에 있어 가장 주요한 판단 기준이기 때문에, 그 변화된 값과 위치를, 실험에 정확히 수정 반영해야 한다는 것이다.

그럼 이제, 본격적인 실험을 위한 모든 준비를 마쳤다. 초기신라 일식 '경주관측설'을 검증하기 위한 추출 실험은 다음과 같이 진행된다.

초기신라 일식 '경주 관측설' 검증을 위한
몬테카를로 실험 개요

[모집단]: 초기신라 당시(BC54~201년) 한반도 경주에서 볼 수 있었던 모든 일식 78개 (편의상 [경주모집단]이라 칭한다.)

핵심가정: 초기신라 14개 일식이 모두 경주에서 관측된 것이라면, 이것은 [경주모집단]에서 무작위로 14개가 선택된 것과도 같다.

실험목적: 초기신라 14개 일식이 [경주모집단]에서의 무작위 추출이었을 가능성 확인

실험방법 : [경주모집단]에서 14개 날짜를 무작위로 1만 번 추출하고 매번 평균하여, 결과적으로 도출된 1만개의 최대평균점들 중 '신라의 최대평균점'과 유사한 경우를 확인한다.

그림48. 1만 개 최대평균점의 위치 분포

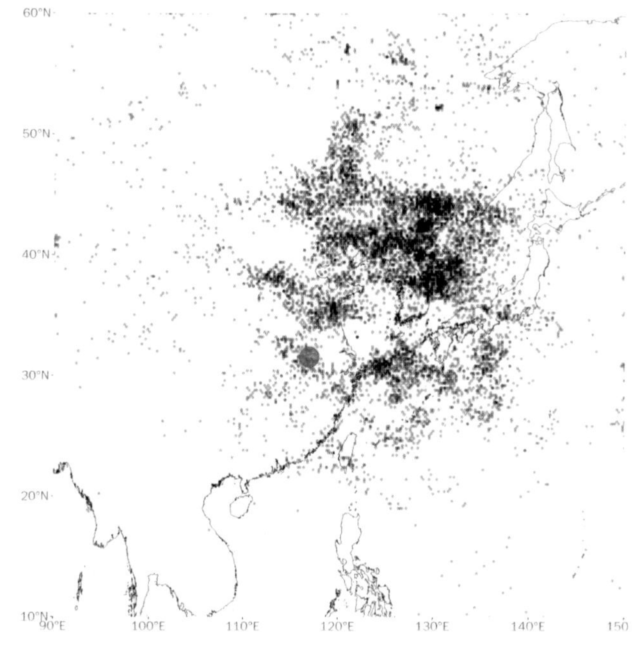

(붉은색 원이 초기신라 최대평균점의 위치)

[경주모집단]의 평균 성질을 일정 부분 닮아 나와, 가장 많은 점들이 밀집된 곳은 한반도 인근이었으나, 이를 벗어난 군집들도 다수 확인된다. 다만 초기신라 최대점의 위치는, 여전히 주요 군집에는 포함되지 않았다.

따라서 이번 위치 분포 역시, 이전 실험들과 동일한 흐름을 가진다. 그림48로부터, 초기신라의 최대점처럼 나올 확률은 상당히 낮다는 것은 짐작할 수 있으나, 그 정확한 확률계산까지 시도하기엔, 전체적인 점들의 분포가 여전히 산발적이다. 쉽게 말해, 그림48에서 군집을 벗어나 있는 다수의 점들은, '사실상 지도 어디로든 최대점이 나올 수 있는 상황아닌가?' 하는 불확실성을 증대시킨다는 것이다.

따라서 이번 실험에서도 필자는 이 '위치'적인 부분은 차치하고, 최대평균점의 '값'을 주목한다. 다음 그림은 1만 개의 최대평균값의 빈도분포이다.

그림49. 1만 개 최대평균값의 빈도분포

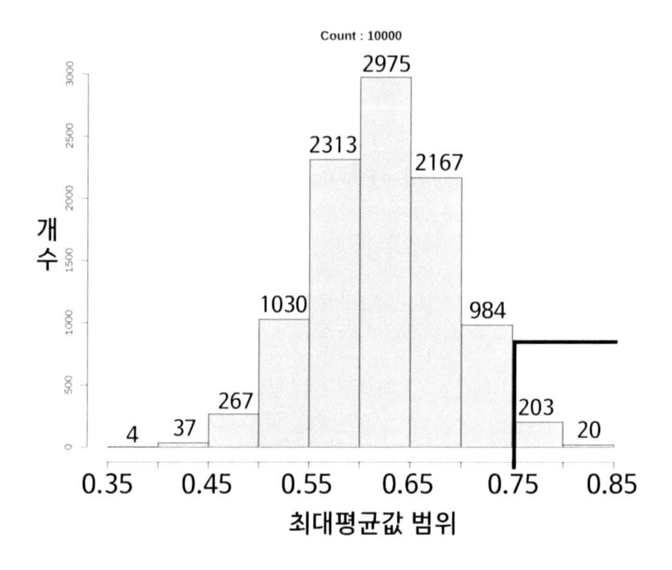

변경됐던 초기신라의 새로운 최대평균값 '0.75' 이상이 되는 점들은, 만 개 중 223개였다.(2.2%) 즉 여전히 통계적으로 유의한 수치(2.5%이하)를 달성하여, 그 실현율이 거의 없음을 나타내고 있다. 다시 말해 초기신라 14개의 일식은, [경주모집단]에서 우연 도출된 것으로는 보기 어렵다는 것이다. 허나, 이것만으로 초기신라 '경주관측설'에 대한 결론을 내기엔, 한 가지 부족한 것이 있었다. 필자의 실험에 한 가지 추가해야 할 요소가 있었던 것이다.

기존 '경주관측설' 실험에서 필자는 '관측해서 적었다'라는 말을, '무작위 추출'로 비유했었다. 즉 '초기신라가 경주에서 14개의 일식을 관측했다'라는 말을, [경주 모집단]에서 14개가 '무작위 선택'된 것으로 보고 실험을 진행했던 것이다. 허나 엄밀히 말하면, 이는 경주 관측관의 성향에 따라 달라질 수도 있는 부분이다.

예를 들어, 경주의 관측자가, 애초에 식분이 높았던 일식들 위주로 선택하는 경향이 있었다면, 기존 실험에서 쓴 무작위 선택 방법은 그 의의가 퇴색된다. 무작위 선택이란 것 자체가, 경주에서 볼 때 낮은 식분의 일식들(0.5미만)까지 골고루 선택될 수 있는 환경이기 때문이다. 또한, 초기신라가 선택했던 14개의 일식은 실제로도 경주에서 상당히 잘 보였던 일식이었는데,

초기신라 14개 일식 평균식분도

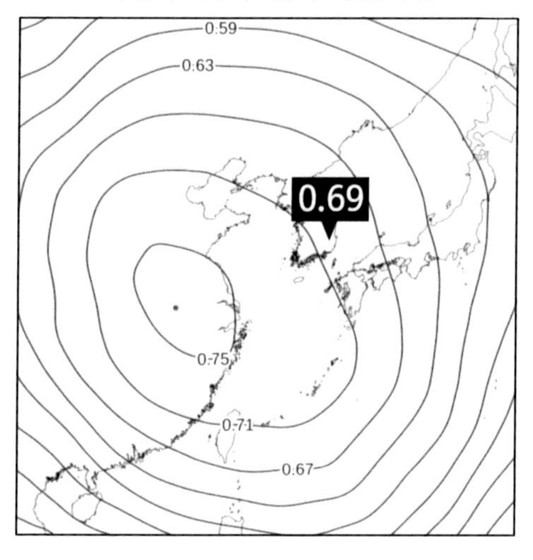

보는 것과 같이, 경주에서의 평균 식분은 0.69로서, 상당히 높았고, 이를 앞서 말한 '관측 성향'의 관점에서 보면, 당시의 경주 관측관들은 평균 0.69라는 고 식분(잘 보였던) 위주의 선별적 관측을 했음을 의미한다.

따라서 본 실험 역시, 이러한 경주 관측관의 성향을 반영하여 추출 할 필요가 있다. 즉 [경주모집단]에서 기존의 무작위 추출 방식이 아닌, 경주에서 잘 보였던 일식들 위주로, 편향된 선택이 되도록 뽑는다는 것이며, 선택의 기준값은 응당 경주에서의 평균식분값 0.69이상으로서, 이를 만족하는 14개 일식 조합만을 뽑겠다는 것과도 같다.

헷갈리지 말아야 할 것은, 본 실험에 있어 최종적으로 필요한 결과물은 여전히 1만 개의 '최대평균점'이다. 다만 이번 실험에선, 그 1만 개를 수집하는 데 있어, 새로운 합격기준(경주조건)이 생긴 것이다.

예를 들어 한 번의 추출 작업은 다음과 같이 진행된다. [경주모집단]에서 14개 일식을 무작위로 뽑고, 그 평균식분도를 만들어 본다. 거기서 경주지역의 평균식분값이 0.69미만이면 버리고, 0.69이상이면 합격으로 간주, 그 평균식분도에서의 최대평균점(값,위치)을 취한다.

바로 이 작업을, 총 1만 개의 최대평균점이 나올 때까지 반복한 것이며, 약 30만 번의 반복 수행 결과, 다음과 같은 1만 개 최대평균값을 도출할 수 있었다.

그림50. (경주조건) 1만 개 최대평균값의 빈도분포

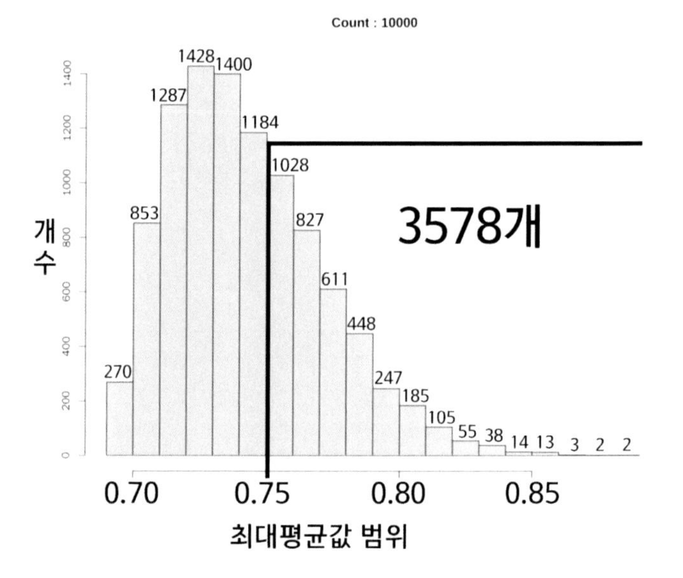

애초에 경주에서의 평균식분이 0.69이상이 되도록 설정했으니, 가장 식분이 높은 최대평균값의 분포 역시 모두 0.69를 넘어설 수밖에 없다. 따라서 그 결과는, 이전까지 봐왔던 극소수의 확률과는 전혀 다른 양상을 보인다. 위 그림에서 초기신라의 최대평균값과 같이 0.75이상이 되는 개수는 3578개로서, 그 영역은 3578/10,000로 36%라는 영역을 확보하여, 기존 2.5%의 통계적 유의수치를 훨씬 넘어선, 충분히 현실적으로 발생 가능한 실현율을 보인 것이다.

그렇다면 이제 한 가지 더 확인해야 할 것이 있는데, 바로 최대점의 '위치'에 대한 분포자료다. 즉 이전 실험들에선 굳이 확률계산에 포함하지 않았던, 그 위치적 특성을, 보다 정확한 확률계산을 위해 이번 실험에선 반영해야 할 필요가 있는 것이다. 다음 그림은 1만 개 최대평균점의 위치 분포를 보여준다.

그림51. (경주조건)1만 개 최대평균점의 위치분포

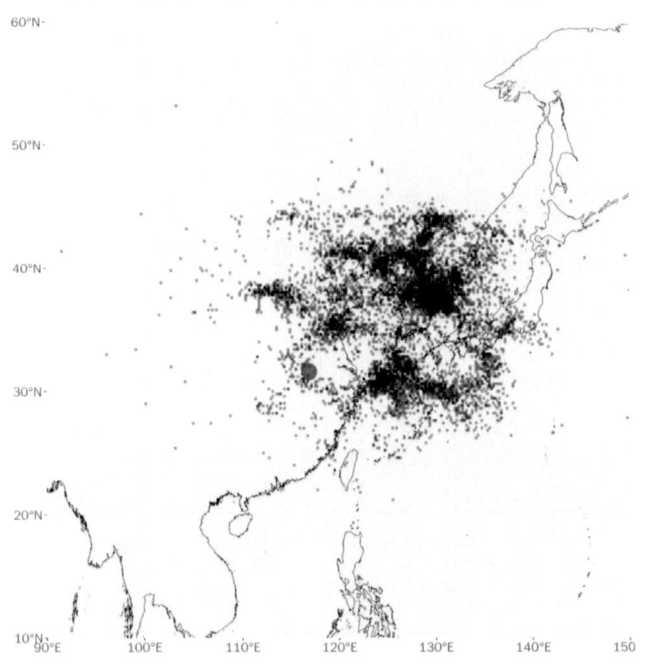

(붉은색 영역이 초기신라 최대평균점의 위치)

이전까지 봐왔던 위치 분포와는 달리, 이번 경주조건이 추가된 최대점들은, 역대 가장 높은 수준의 군집력을 형성하고 있었는데, 이는 애초에 경주에서 잘 보이는 것들 위주로 편향된 선택이 됐기 때문으로 볼 수 있다. 다만 그 군집이 한곳으로만 형성되지 않고, 크게 세 영역에 걸쳐 형성되고 있는데,

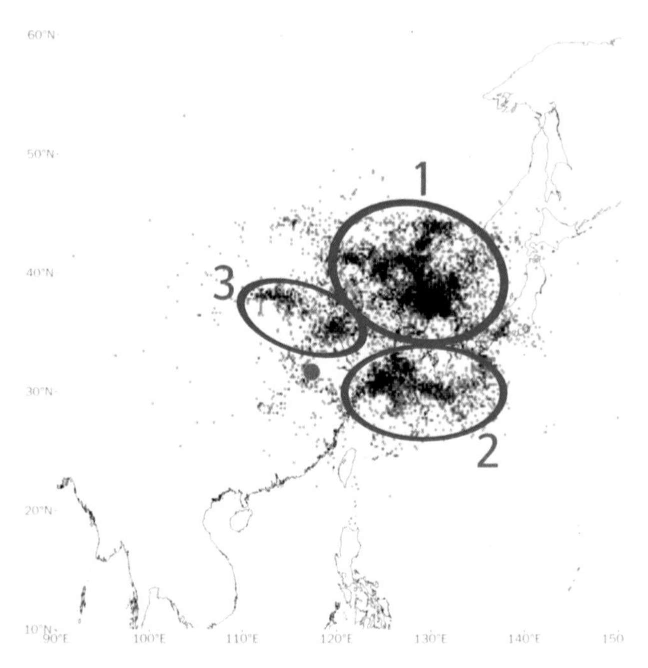

(1번영역: 5800여개/ 2번: 2400여개/ 3번: 950여개)

이것은, 78개라는 [경주모집단]의 크기에 비해, 추출된 표본의 크기가 14개로 여전히 작았기 때문에 발생한 산발성으로 해석된다.
다만 눈여겨볼 것은, 중원 양자강 유역으로 나왔던 초기신라 최대평균점의 위치는, 그 세 군집 어디에도 포함되지 않았다는 것이다. 따라서 직관적으로 볼 때, 한 번의 시도로 초기신라의 최대점처럼 찍혀 나올 확률은 현저히 낮음을 알 수 있고, 여기서 필자는 더욱 세밀한 확률계산을 하고자 했다.
지금처럼 위치 분포의 군집성이 상당히 강하고, 초기신라의 최대점 또한 그 군집에서 벗어나 있는 상황에 주목한다면, 유의미한 확률계산이 가능하다고 판단했기 때문이다. 물론 그림51의 위치 분포는 정규분포의 형태가 아니기에 이전과 같이 통계적 유의성을 검증할 수는 없겠지만, 전체 중 초기신라와 유사한 곳에 떨어진 최대점의 개수를 파악해 보는 것도, '경주관측설'의 실현율을 측정하는 하나의 방법이 될 수 있을 것이다.

그렇다면, 정확히 어떤 영역의 점들까지, 초기신라의 최대점과 '유사한' 것으로 판별할 수 있을까. 필자는 이에 있어, 초기신라의 최적관측지를 판단 기준으로 삼았다.

초기신라 최적관측지

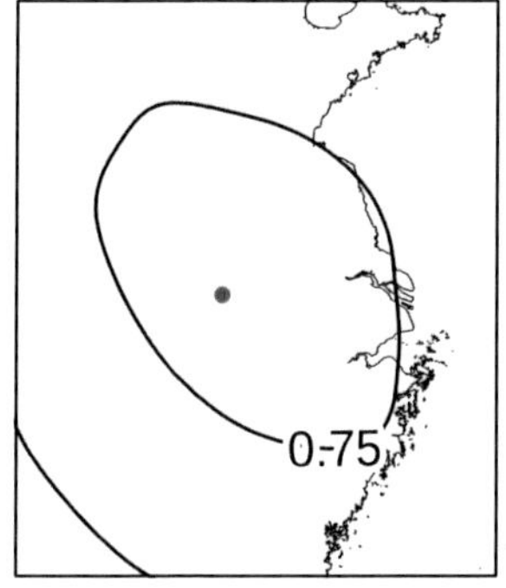

그림에서 0.75영역이 최적관측지이며, 이는 붉은점으로 표시한 최대평균값 0.759에서 약 0.01의 오차범위 내에 있는 영역으로, 쉽게 말해 초기신라의 최대평균값과 가장 가까운 값들이 몰려있던 영역을 의미했다.

따라서 필자는 이 최적관측지 영역을, 넓은 범위에서의 초기신라 최대점의 위치로 설정하고, 그림51의 1만 개 점 중 위 최적관측지 영역 내에 있는 점들의 수를 확인해 본 것이다. (구체적인 영역 설정은 위도 28~35 / 경도 114~122)

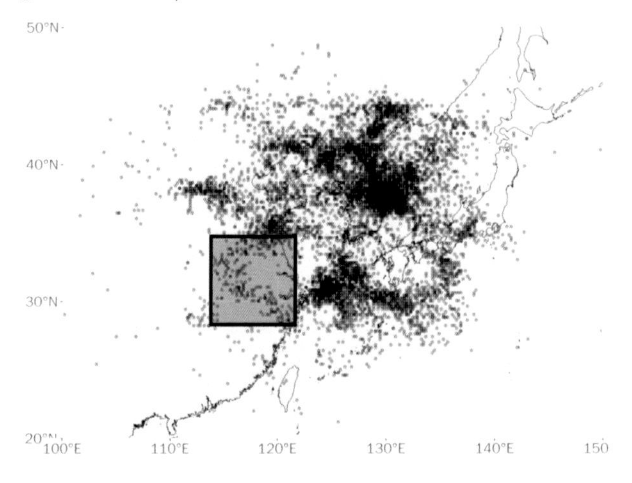

미리 확보한 1만 개 최대점의 위치정보를 해당 영역에 맞춰 필터링한 결과,

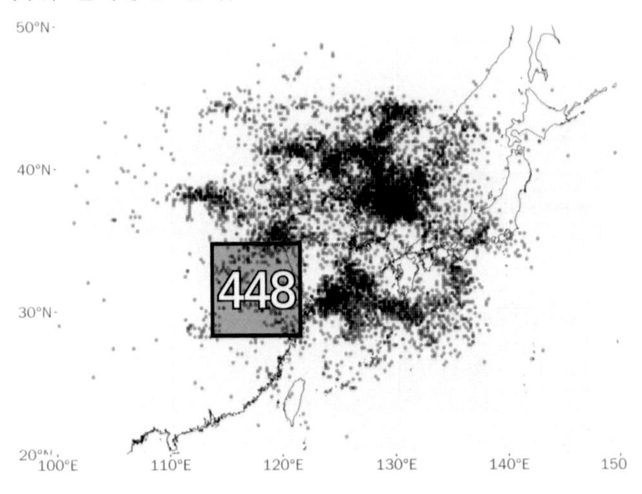

총 448개의 점이 확인되어, 결과적으로 만 개 중 448개인 4.5%의 확률을 보였다. 즉 앞서 최대점의 '값'의 측면만 따져봤을 때는 36%라는, 실현가능한 확률을 보였으나, 이번 최대점의 '위치'까지 고려했을 때는, 초기신라의 최대점과 같이 도출될 확률은 5%미만으로서, 여전히 실현되기 어려운 수치를 보인 것이다.

물론 연구자의 기준에 따라 또 다른 수치가 도출될 수도 있겠지만, 결과적으로 초기신라 '경주관측설'의 실현율을 측정해 본 필자의 실험 결과는, 그 실현율이 매우 떨어짐을 보여주었다.

이번 '경주관측설' 검증에 대한 필자의 두 가지 실험을 정리해 보면 다음과 같다.

'초기신라가 경주에서 14개의 일식을 관측했다.'는 말은 곧, 당시 경주에서 볼 수 있었던 모든 일식인 [경주 모집단]에서 14개의 일식이 무작위로 선택된 것과 동일한 개념으로 보았고, 과연 한 번의 시도로 그러한 선택이 이루어질 확률을 측정해 본 결과 2.2% 수준으로 매우 낮았다. (허나 결과적으로 이 실험은 '경주관측설'에 대한 검증이라기보다, 앞서의 '계산일식설'검증에 있어 신라의 계산 수준이 경주에서 볼 수 있었던 일식만을 추려낼 수 있었을 경우에 더 가깝다.)

이후 필자는 초기신라에 있어 '관측했다'라는 것은 사실 무작위 선택이기보단, 당시 관측자 입장에서 잘 보였던 일식이 취사 선택되는 것에 더 가깝다 보고, 당시 경주에서 평균식분 0.69 이상을 만족하는 14개의 일식 조합만을 모아본 결과, 그 안에서 초기신라와 유사한 성질의 것은 4.5%수준으로 여전히 낮은 비율을 보였다. 이에 최종적으로 초기신라의 일식은 경주에서 관측됐을 확률이 거의 없다는 결론을 낼 수 있었던 것이다.

#중원에서 관측된 것이다.
(중원에서 관측했을 시 초기신라와 같이 나올 확률)

마지막 실험인, 초기신라 일식 '중원관측설'이다. 초기신라의 일식은 그 최적관측지가 가리키는 데로, 한반도가 아닌 중원 일대에서 관측됐다는 것으로, 한국의 지배적 역사 상식과는 이반되는 가설이지만, 최적관측지와 수도의 연관성을 어느 정도 인정하는 관점에서 볼 때, 이 가설 역시 충분한 검증 가치를 지니고 있다.

앞서 시행했던 '경주관측설'의 '경주'가 '중원'으로 바뀐 것뿐이기에, 전체적인 실험의 흐름은 동일하나, 몇몇 세부 요소들은 다음과 같이 수정된다.

우선 '경주관측설'에서 변화를 주었던 표본의 크기 14개를 다시 16개로 회복시킨다. 초기신라 16개의 유효 일식은 모두 중원(최적관측지 영역)에서 관측 가능했기에, 16개의 일식 모두가 검증 대상이 되고, 이렇게 되면 초기신라의 최대평균값 역시 본래의 0.71로 되돌아간다.

다음으로 [모집단]의 범위가 바뀐다. 이번 실험에선 당시 '중원'에서 볼 수 있었던 모든 일식인 [중원모집단]을 취합해야 하고, 이를 위해서는 우선, '중원'의 위치를 확실히 정할 필요가 있다. 앞서 '경주관측설' 검증에서도 '경주'라는 확실한 하나의 지점에서 볼 수 있었던 모든 일식들이 취합됐기에, 이번 '중원관측설' 역시 '중원'의 정확한 위치 좌표가 요구되는 것이다.
이에 필자는 초기신라 최적관측지 안쪽의 최대평균점 위치를 '중원'으로 잠정 설정했다.(아래 그림의 붉은점)

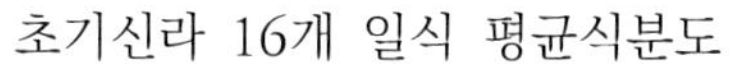
초기신라 16개 일식 평균식분도

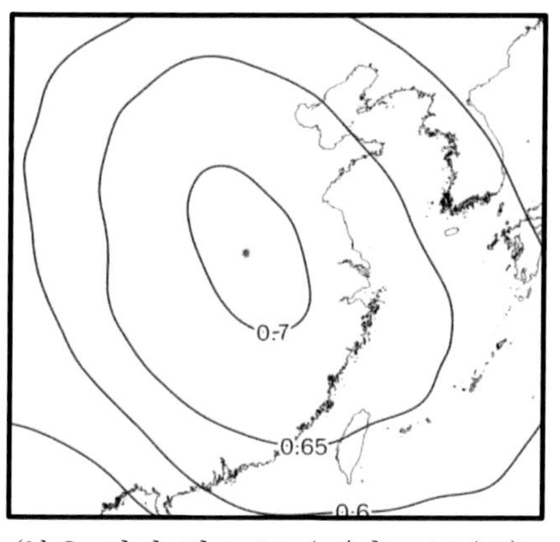

(붉은 점의 위도:32.4 /경도:114.8)

즉 본 실험은, 초기신라의 일식이 만약 위 붉은 지점에서 관측됐다고 할 시, 위와 같은 최적관측지를 형성할 확률을 알아보는 것이다.

이제 모집단을 취합해 보자. 박창범 저 '동아시아 일식도'에서, 초기신라 기간 '중원'에서의 식분값이 0.1이상 되는 모든 일식들을 취합한 결과, 그 수는 총 84개였다. 이를 당시 중원에서 볼 수 있었던 모든 일식인, [중원모집단]으로 설정한다. 참고로 [중원모집단]의 평균식분도는 다음과 같았다.

그림52. [중원모집단] 84개 일식의 평균식분도

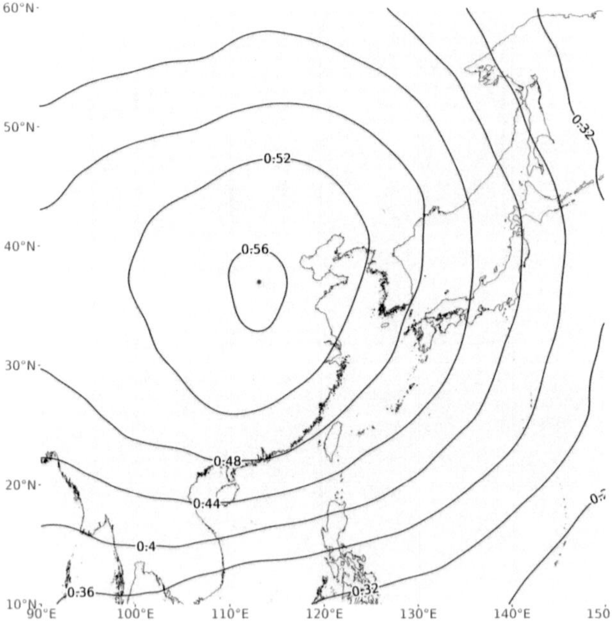

다음으로, 이전 '경주관측설'에서 최종 설정한 합격기준인 '경주조건'에 해당하는, '중원조건'을 추가할 차례다. 필자는 초기신라에 있어 '관측했다'라는 말을 '관측자 입장에서 상당히 잘 보이는 일식 위주의 선별'로 정의했기에, 이번의 '중원관측설' 역시 같은 기준을 적용한다. 또한 중원에서 '잘 보였던 것'의 그 기준도, 똑같이 초기신라의 평균식분도로부터 단서를 얻는다.

초기신라 16개 일식 평균식분도

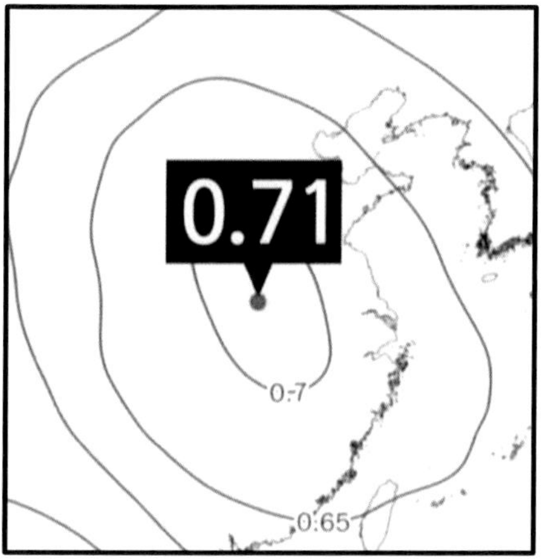

필자가 설정한 '중원'지역에서는 당시 초기신라의 전체 일식을 평균 0.71의 고 식분으로 볼 수 있었다. 따라서 필자는 이 0.71이라는 수치를, 당시 중원지역 신라 관측관들이 가진 '관측 성향'으로 정의하여, 이 기준을

넘어서는 일식들만 선택되는 추출 모델을 설정한다.
다시말해 현재 진행하려는 몬테카를로 실험은, 결국 ‘반복 추출’이 핵심이며, 현 실험에 있어서 이는 곧, ‘반복 관측’에 해당한다. 따라서 필자는 신라의 평균식분도를 통해, 당시 중원의 신라 천문관들이 가진 관측성향(0.71)을 측정해 본 것이고, 그들이 몇 번을 재차 관측한다 하더라도, 그 수준 이상을 유지 할 것이라는 가정이 담긴 실험이기도 하다.

초기신라 일식 '중원 관측설' 검증을 위한
몬테카를로 실험 개요

[모집단]: 초기신라 당시(BC54~201년) '중원'에서 볼 수 있었던 모든 일식 84개 (편의상 [중원모집단] 이라 칭한다.)

핵심가정: 초기신라 16개 일식이 모두 중원에서 관측된 것이라면, 이것은 [중원모집단]에서 16개의 일식이 무작위 선택된 것과 같다. **단, '중원'지역의 평균식분 0.71이상을 만족하는 16개의 일식만을 고려하며, 이를 '중원조건'이라 정의한다.**

실험목적: 위 중원조건하에, 초기신라 16개 일식이 [중원모집단]에서의 무작위 추출이었을 가능성을 확인

실험방법 : [중원모집단]에서 16개 일식을 무작위 추출하여 '중원'에서의 평균식분을 확인했을 때, 값이 0.71 이상인 경우에만 그 최대평균점의 위치와 값을 저장한다. 위 시행을 최종 1만 개의 최대평균점이 도출될 때까지 반복한다.

먼저, 최종 도출된 1만 개 최대평균점이 가지는 '값'을 살펴보자.

그림53. (중원조건)1만개 최대평균값 빈도분포

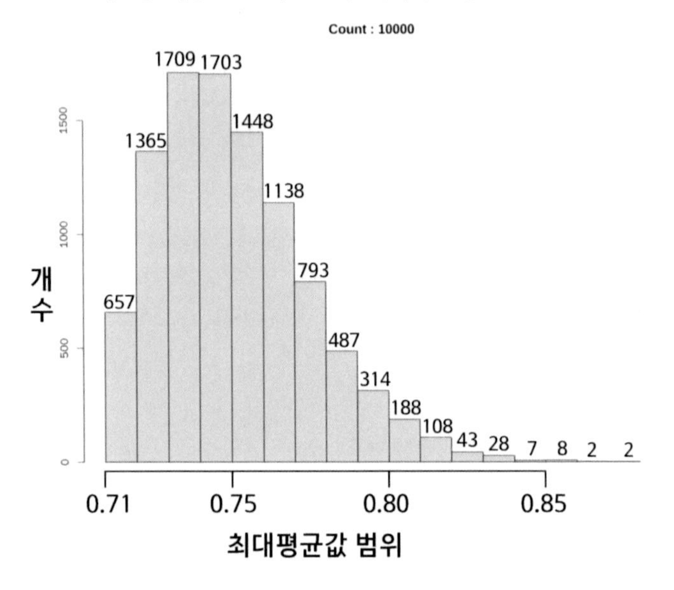

애초에 '중원'의 평균값이 0.71이상이 될 때만, 그 최대값을 취했기에, 1만 개 최대값들은 모두 0.71이상이 되며, 확률 계산의 기준이었던 초기신라의 최대평균값 0.71이상이 되는 개수도 당연히 100%가 된다. 따라서 이 '값'의 분포로는, 초기신라와 같은 최대점이 나올 확률을 따지는 것이 무의미하다는 것을 알 수 있다.

즉 이번 '중원관측설' 실험에서 결국 중요한 것은 최대점의 '위치'적 측면임을 알 수 있고, 다음 그림은 총 1만 개 최대평균점들의 '위치분포'를 나타낸다.

그림54. (중원조건) 1만 개 최대평균점의 위치분포

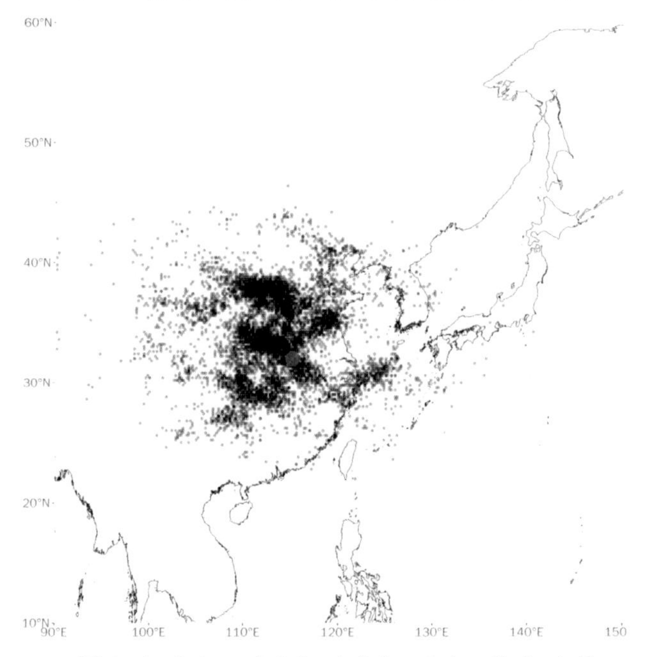

(붉은색 원이 초기신라 최대평균점 '중원'의 위치)

이번의 분포가 보여주는 가장 큰 차이점은, 초기신라 최대점의 위치가, 군집 안에 들어가 있다는 것이다.

즉 앞서의 다른 실험에선 일관적으로 군집을 벗어나 있던 초기신라의 최대점 위치가, 이번 '중원관측설'에서 처음으로 군집영역 안에 자리하여, 이는 곧 초기신라와 같은 최대점이 도출될 확률 역시 상당히 높다는 것을 나타낸다. 이전 '경주관측설'과 동일한 방식으로, 초기신라 최적관측지 영역을 대입한 확률계산을 시도한다. (영역 범위: 위도 29~36 / 경도: 112~118)

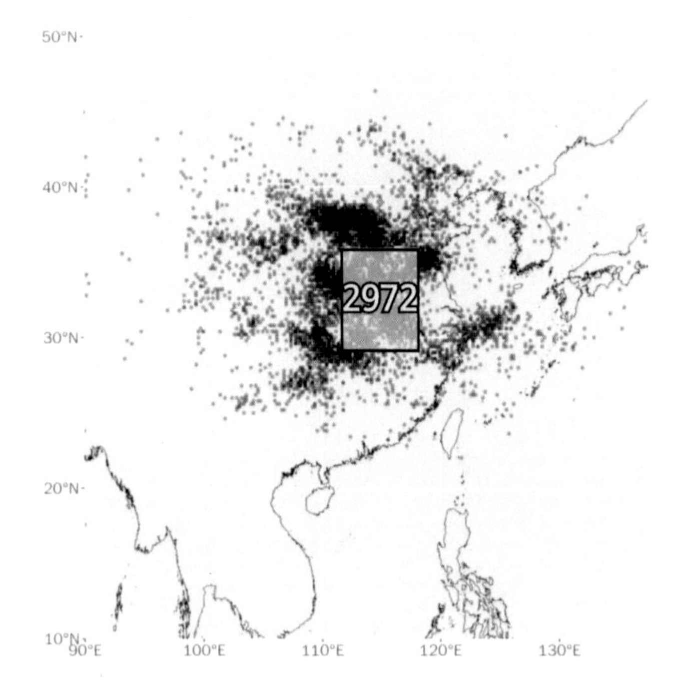

최적관측지 영역내에 위치한 최대점의 개수는 총 2972개로서, 이는 30%(2972/10,000)라는 역대 가장 높은 확률을 보였다.

정리하자면, 필자의 검증 방식을 통해, [중원모집단]에서 초기신라와 같은 최대점이 도출될 확률은 30%였으며, 이는 곧 초기신라 '중원관측설'의 실현율도 30%로서 현실적으로 발생가능한 수준임을 나타냈다.

물론 이 실험은 근본적으로 '초기신라가 당시 중원에서 관측했다면' 이라는 기본 가정이 전제된 것이므로, 무조건 '중원관측설'이 초기신라 일식의 정체라고 답 할 수는 없을 것이다. 다만, 지금까지의 모든 실험에서 가장 큰 의의를 둘 수 있는 점은, 현실적으로 가장 유력해 보였던 초기신라 '경주관측설'의 그 실현율은 5%미만으로, 상당히 낮은 수치를 보였다는 것이다.

몬테카를로 시뮬레이션을 적용한, 본 실험의 핵심 의의는 바로 일식의 '선택' 단계에 대한 의문을 제기한다.

14개, 혹은 16개의 일식을 뽑는 경우의 수들은, 그 하나하나가 공평히 뽑힐 기회를 가진 듯 보였지만, 그들이 만들어 낼 수 있는 결과값은 한쪽으로 치중돼 있었고, '중원관측설'을 제외한 그 나머지 실험에 있어 신라가 선택한 결과값은, 모두 군집을 벗어난 소수의 영역에 자리했다.

박창범 교수의 〈최적관측지=수도〉논리는 얼마나 정확한 것일까. 이런 물음은 결국 역대 평균식분도 도출로 이어졌고, 특정 시기를 기점으로 양분되는 정확성을, 그저 우연으로 치부할 수 없었다. 일식 최적관측지와 그 수도는 본질적으로 아무 관계가 없는 것이 아니라, 어떤 성질의 일식들이 기록됐는가에 따라 그 적중률이 통제되고 있었던 것이다.

초기신라 하나만큼은 그 정체에 대한 해답을 찾을 수 있지 않을까. 그렇게 진행한 몬테카를로 실험은, 결과적으로 초기신라의 일식이 중원에서 관측됐을 확률을 가장 높게 측정했다.

물론 이 실험 하나만으로, '신라는 초기에 한반도가 아닌 중원에 있었다.'라는 결론을 낼 수는 없다. 고려치 못한 변수들이 있을 수 있고, 필자와 프로그래머 단둘만 개입된 사적인 연구였음을 감안하면 더욱 조심스럽게 접근해야 한다.

다만 역사라는 것은, 특히 이 고대사라는 영역은, 한정된 단서들을 가지고 과거의 실제를 '추론'하는 학문에 가깝다. 따라서 이와 관련된 어떠한 의문점을 발견했다면 그 누가 됐든, 해답을 파헤치기 위한 연구를 시도해 볼 수 있다. 특정 권력이나, 계층의 압력에서 자유로울, 그러한 개인들의 연구가 앞으로 더 많아져, 더욱 진실에 가까운 한국사를 만날 수 있길 소원한다.

‘

- 부록 -

조선, 역대 중원 국가의 일식 날짜 모음

본 장에서는,
〈2화 조선, 역대 중원 국가 평균식분도 도출〉에 쓰였던 각국의 유효일식 날짜를 나열한다. 이미 언급했듯, 그 모든 날짜들은 박창범 저 ‘동아시아 일식도’에서 발췌한 것이다.

한가지 언급할 것은, 나열된 날짜 중 실제 역사서에 적힌 날짜와 하루 차이가 있는 경우가 있다. 이것은 역사서에 적힌 일식 날짜를, 세계시(UT) 기준으로 변경하며 발생한 현상이다. 가령, 조선의 1796.7.4일자 일식은, 당시 조선에선 5일 새벽 무렵 일어났는데, 이를 세계시 기준으로는, 그 전날 저녁에 발생했기에 하루가 차감되어 4일 자 일식이 되고, 필자는 이 날짜를 사용했다.

청 단독 (18개)	한양조선단독 (20개)	청/한양조선 공통(92개)		
1898.01.22	1876.03.25	1899.01.11	1824.06.26	1751.05.25
1881.05.27	1757.08.14	1896.08.09	1823.07.08	1747.08.06
1873.05.26	1755.03.12	1894.04.06	1821.03.04	1746.03.22
1868.08.18	1744.10.06	1887.08.19	1818.05.05	1745.04.02
1855.05.16	1740.12.18	1883.10.30	1817.11.09	1742.06.03
1850.08.07	1723.06.03	1882.05.17	1817.05.16	1735.10.16
1828.04.14	1720.02.08	1880.01.11	1815.07.06	1731.12.29
1827.04.26	1702.07.24	1878.07.29	1814.07.17	1730.07.15
1807.06.06	1700.02.18	1875.04.06	1813.02.01	1720.08.04
1805.06.26	1699.09.23	1872.06.06	1810.04.04	1719.02.19
1796.01.10	1677.11.24	1869.08.07	1808.11.18	1712.07.03
1762.10.17	1658.11.24	1867.03.06	1802.08.28	1709.09.04
1721.07.24	1652.04.08	1864.05.06	1800.04.24	1704.11.27
1715.05.03	1647.01.05	1862.12.21	1798.11.08	1697.04.21
1708.09.14	1638.01.15	1861.07.08	1796.07.04	1695.12.06
1706.05.12	1636.08.01	1857.09.18	1795.01.21	1692.02.17
1688.04.30	1539.10.12	1856.09.29	1789.11.17	1691.02.28
1681.09.12	1538.10.22	1854.05.26	1788.06.04	1690.09.03
	1434.11.30	1852.12.11	1786.01.30	1685.11.26
	1428.04.14	1850.02.12	1785.08.05	1676.06.11
		1849.02.23	1784.08.16	1671.09.03
		1848.09.27	1779.06.14	1669.04.30
		1847.10.09	1776.01.21	1666.07.02
		1845.05.06	1775.08.26	1665.01.16
		1843.12.21	1774.09.06	1658.06.01
		1842.07.08	1773.03.23	1657.06.11
		1840.03.04	1770.05.25	1650.10.25
		1839.09.07	1769.06.04	1648.06.21
		1833.07.17	1763.10.07	1646.01.16
		1829.09.28	1760.06.13	1644.09.01
		1828.10.09	1758.12.30	

청 전체 구성(110)
(청단독18) +
(청/한영조선 공통92)

한양조선 전체(192)
(단독 20)+
(청/조선 공통92)+
(북명/조선 공통74)+
(남명/조선 공통6)

북명 단독 (14개)
1615.03.29
1612.05.30
1610.12.15
1609.12.26
1607.02.26
1577.09.12
1518.06.08
1489.12.22
1486.03.06
1485.09.09
1468.02.23
1448.03.05
1441.07.18
1441.01.23

북명/한양조선 공통(74개)		
1643.03.20	1556.11.02	1470.06.28
1641.11.03	1555.11.14	1469.07.09
1637.01.26	1553.01.14	1467.03.06
1634.03.29	1549.03.29	1464.05.06
1631.10.25	1545.06.09	1463.05.18
1629.06.21	1542.08.11	1461.12.02
1626.08.21	1529.11.01	1460.07.18
1621.05.21	1528.05.18	1455.04.16
1617.08.01	1527.05.30	1454.04.27
1604.04.29	1526.01.13	1452.12.11
1603.05.11	1521.04.07	1451.06.28
1596.09.22	1517.06.19	1447.09.10
1594.05.20	1516.01.04	1446.04.26
1593.11.22	1514.08.20	1445.05.07
1590.07.31	1507.01.13	1444.11.10
1589.02.15	1502.10.01	1442.07.07
1587.10.02	1501.10.12	1435.11.20
1583.12.14	1500.05.27	1432.02.02
1582.06.20	1498.12.13	1430.08.19
1580.02.15	1495.02.25	1423.07.08
1575.05.10	1488.07.09	1422.01.23
1572.07.10	1484.09.20	1421.08.28
1570.02.05	1476.02.25	
1566.04.19	1475.09.30	
1564.06.08	1474.10.11	
1561.08.11	1473.04.27	

북명 전체 구성(88)
(북명 단독14)+
(북명/한양조선74)

개경조선 단독(1개)	남명 단독 (17개)	남명/개경조선 공통(2개)	남명/한양조선 공통(6개)
1401.03.15	1416.05.27	1400.03.26	1420.09.08
	1409.10.09	1393.08.08	1415.06.07
	1408.10.19		1413.02.01
	1408.04.26		1407.10.31
	1391.04.05		1406.06.16
	1390.10.09		1397.05.26
	1388.06.04		
	1386.12.22		
	1383.08.29		
	1381.10.18		
	1377.12.31		
	1376.07.17		
	1375.07.29		
	1374.03.14		
	1373.03.24		
	1371.10.09		
	1369.06.05		

개경조선 전체 구성(3개)
(단독1개)+
(남명/개경조선 공통2개)

남명 전체 구성(25개)
(남명 단독17)+
(남명/개경조선 공통2)+
(남명/한양조선 공통6)

원 단독 (39개)		남송 단독 (22개)	남송/원 공통 (4개)
1367.12.22	1329.07.27	1270.03.23	1277.10.28
1366.08.07	1327.09.16	1268.11.06	1275.06.25
1361.05.05	1322.12.09	1267.05.25	1272.08.25
1360.05.15	1321.06.26	1265.01.19	1271.09.06
1358.12.31	1320.02.10	1261.04.01	
1358.07.07	1319.02.21	1260.04.12	
1354.03.25	1315.05.04	1253.03.01	
1353.09.28	1312.07.05	1252.03.11	
1352.05.14	1304.06.04	1249.05.14	
1350.11.30	1303.06.15	1246.01.19	
1348.07.26	1302.06.26	1245.07.25	
1347.02.11	1300.02.21	1243.03.22	
1346.02.22	1299.08.27	1242.09.26	
1344.10.07	1297.04.22	1237.12.19	
1343.04.25	1294.06.25	1233.10.05	
1337.03.03	1292.01.21	1228.07.03	
1336.09.06	1290.09.05	1227.07.15	
1334.05.04	1289.03.23	1211.12.07	
1331.11.30	1287.11.07	1210.12.17	
	1282.08.05	1210.06.22	
		1203.05.12	
		1200.07.12	

원 전체 구성(43개)
(원 단독 39)+
(남송/원 공통 4)

남송 전체 구성(57개)
(남송/원 공통 4)+
(남송 단독 22)+
(남송/금(남경) 공통6)+
(남송/금(중도) 공통19)+
(남송/금(상경) 공통6)

금(남경)단독	금(중도)단독 (2개)	금(남경)/남송 공통(6개)	금(중도)/남송 공통(19개)	금(상경)/남송 공통(6개)
1228.12.28	1200.12.08	1223.09.26	1206.03.11	1149.04.09
	1167.04.21	1221.05.23	1202.05.23	1148.04.20
		1218.07.24	1198.02.07	1145.06.22
		1217.08.04	1195.04.12	1144.01.06
		1216.02.19	1189.02.17	1135.01.16
		1214.10.05	1188.08.24	1129.10.15
			1183.11.17	
			1177.09.23	
			1176.04.11	
			1174.11.26	
			1173.06.12	
			1169.08.24	
			1164.06.21	
			1163.07.03	
			1162.01.17	
			1160.09.02	
			1158.03.31	
			1155.06.01	
			1154.06.12	

금(남경) 전체 구성(7개)
(금남경 단독 1)+
(금남경/남송 공통 6)

금(중도) 전체 구성(21개)
(금중도 단독 2)+
(금중도/남송공통 19)

금(상경) 전체 구성(10개)
(금상경/남송 공통 6)+
(금상경/북송 공통 3)+
(금상경/요 공통1)

금(상경)/북송 공통(3개)	금(상경)/요 공통(1개)	북송 단독 (49개)		북송/요 공통 (17개)
1123.08.22	1122.03.10	1118.05.22	1026.11.12	1100.05.11
1120.10.24		1115.07.23	1024.06.09	1094.03.19
1119.05.11		1113.03.19	1021.08.11	1091.05.21
		1110.10.15	1019.04.08	1083.10.14
		1108.06.11	1015.06.19	1080.12.14
		1107.12.16	1014.01.04	1075.09.13
		1106.08.01	1012.08.20	1069.07.21
		1097.07.11	1007.05.19	1068.02.06
		1095.03.08	1005.01.13	1053.11.13
		1087.08.01	1000.04.07	1049.02.05
		1082.04.30	999.10.12	1002.08.11
		1061.06.20	998.10.23	995.01.04
		1059.02.15	993.08.20	992.03.07
		1058.08.22	993.02.24	991.03.19
		1056.09.12	986.01.13	977.12.13
		1054.05.10	982.03.28	965.03.06
		1052.11.24	981.09.30	961.05.17
		1046.04.09	975.08.10	
		1045.04.19	974.02.25	
		1043.06.09	972.10.10	
		1042.06.20	971.10.22	
		1040.02.15	970.05.08	
		1033.06.29	967.07.10	
		1029.09.11	960.05.28	
		1028.03.28		

북송 전체 구성(69개)
(금상경/북송 공통 3)
(북송 단독 49)+
(북송/요 공통 17)

요 전체 구성(27개)
(금상경/요 공통 1)+
(북송/요 공통 17)+
(요/후당 공통 2)+
(요 단독 7)

요 단독 (7개)	요/후당 공통(2개)	후당 단독 (4개)	후진 단독 (8개)	후한 단독 (3개)
1066.09.22	927.03.06	931.12.12	946.03.06	950.12.12
997.06.07	923.11.11	930.06.29	945.09.09	949.06.29
994.08.09		928.02.24	944.09.20	948.07.09
955.02.25		927.08.30	943.05.07	
952.04.26			940.12.02	
921.07.08			939.07.19	
911.02.02			938.02.03	
			937.02.14	

후진 전체 구성(8개)
(후진 단독8)

후당 전체 구성(6개)
(후당 단독4)+
(요/후당 공통2)

후한 전체 구성(3개)
(후한 단독3)

당4차(낙양) 단독(2개)	당3차(장안) 단독(42개)		당2차(낙양) 단독(9개)	당1차(장안) 단독(25개)
906.04.26	888.04.15	768.03.23	703.03.22	682.05.13
904.11.10	876.05.27	761.08.05	702.09.26	681.11.16
	863.08.18	756.10.28	700.05.23	680.11.27
	848.06.05	754.06.25	695.02.19	675.09.25
	846.12.22	746.05.25	693.10.05	674.04.12
	845.08.07	742.08.05	692.04.22	672.11.25
	844.02.22	740.04.01	691.05.03	671.12.07
	843.03.05	738.10.18	688.07.03	670.06.23
	834.03.14	735.12.19	686.02.28	667.08.25
	823.10.08	734.12.30		661.07.02
	822.04.25	733.08.14		660.07.13
	818.07.07	729.10.27		648.08.24
	815.09.07	725.01.19		646.04.21
	808.07.27	724.07.25		643.06.22
	801.06.15	721.09.26		639.09.03
	796.09.06	719.05.24		637.04.01
	792.11.19	715.08.04		632.01.27
	789.01.31	714.02.19		630.08.14
	787.09.16	712.10.05		628.04.10
	780.02.10	707.12.29		627.10.15
	775.10.29	707.07.04		627.04.21
				626.10.26
				623.12.27
				621.08.23
				618.10.24

당나라 일식은 모두 단독구성

수 단독 (3개)	남진/수 공통 (1개)	남진 단독 (1개)	남진/북주 공통 (7개)
601.03.10	583.02.28	577.12.25	576.07.12
594.07.23			574.03.09
592.03.19			572.09.23
			571.05.09
			564.02.28
			562.10.14
			561.04.30

수 전체 구성(4개)
(수 단독3)+(남진/수 공통1)

남진 전체 구성(9개)
(남진단독1)+(남진/수공통1)+
(남진/북주공통7)

북주 전체 구성(7개)
(남진/북주 공통7)

동위 단독 (1개)	양/동위 공통 (3개)	낙양북위/남제 공통(3개)	남제 단독 (1개)	양/낙양북위 공통(15개)
548.07.21	547.02.06	501.07.31	493.01.04	534.04.29
	540.06.20	500.08.11		533.05.10
	538.02.15	496.10.22		532.11.13
				531.06.30
				523.11.23
				522.12.04
				522.06.10
				521.06.20
				520.02.05
				519.02.15
				516.04.18
				513.06.19
				512.06.29
				509.08.31
				508.09.11

동위 전체 (4개)
(동위단독 1)+(양/동위공통 3)

북위(낙양) 전체 (18개)
(낙양북위/남제공통 3)+
(양/낙양북위공통 15)

남제 전체 (9개)
(남제단독1)+(낙양북위/남제공통3)+
(평성북위/남제공통5)

양 전체(18개)
(양/동위공통 3)+(양/낙양북위공통15)

평성북위/남제	평성북위/동진 공통(3개)	동진 단독 (21개)	평성북위/유송 공통(15개)	유송 단독 (3개)
494.06.19	415.09.19	419.12.03	479.04.08	461.09.20
490.03.07	403.05.07	417.02.03	478.10.12	434.02.25
489.03.18	400.07.08	414.09.30	474.01.04	429.12.12
484.01.14		407.08.19	469.10.21	
481.08.11		395.04.06	468.11.01	
		392.06.07	468.05.08	
		384.10.31	462.03.17	
		381.07.08	454.08.10	
		380.01.24	449.05.08	
		375.11.10	446.07.10	
		370.08.08	442.09.20	
		368.04.04	440.05.17	
		363.01.02	438.12.03	
		360.08.28	435.02.14	
		356.11.09	427.07.10	
		346.06.06		
		341.03.04		
		331.03.25		
		327.06.06		
		325.12.22		
		318.05.16		

평성북위 전체(23개)
(평성/남제공통 5)+
(평성/동진공통 3)+
(평성/유송공통 15)

동진 전체(24개)
(동진 단독21)+
(평성/동진공통 3)

유송 전체(18개)
(유송단독 3)+
(평성/유송공통 15)

서진 단독 (15개)	조위 단독 (13개)	후한 단독 (58개)		
306.07.27	262.11.29	220.03.22	139.01.18	73.07.23
301.04.25	261.06.15	216.06.03	135.09.25	70.09.23
299.12.10	260.01.30	212.08.14	125.04.21	65.12.16
288.07.16	247.03.24	210.03.13	120.01.18	62.02.28
287.01.31	245.11.07	208.10.27	118.09.03	61.10.02
286.02.11	244.05.24	189.05.03	117.03.21	60.10.13
285.09.16	243.06.05	181.09.26	115.11.04	56.12.25
283.04.15	240.08.05	179.05.24	114.11.15	55.07.13
277.02.20	233.06.25	177.12.08	113.06.01	53.03.09
275.09.07	232.01.10	174.02.19	111.01.27	49.05.20
274.04.24	223.01.19	171.04.23	107.04.11	46.07.22
273.05.04	222.01.30	170.05.03	103.06.22	41.04.19
272.11.08	221.08.05	169.12.06	100.08.23	40.04.30
271.11.20		168.12.17	95.05.22	33.09.12
266.09.16		168.06.23	92.07.23	31.05.10
		167.07.04	90.03.20	30.11.14
		157.07.24	87.10.15	27.07.22
		154.09.25	81.08.23	26.02.06
		147.02.18	80.03.10	
		140.07.02	75.12.26	

서진 전체 단독(15)

조위 전체 단독(13)

후한 전체(73개)

(후한 단독 58)+

(후한/신라공통 7)+

(후한/고구려공통 6)+

(후한/신라/고구려공통 2)

0년 포함

후한/고구려 공통(6개)	후한/신라 공통(7개)	후한/신라/고구려 공통(2개)	신라/전한 공통(7개)
219.04.02	201.03.22	186.07.04	16.08.21
178.11.27	200.09.26	124.10.25	2.11.23
165.02.28	194.08.04		-1.02.05
158.07.13	193.02.19		-14.03.29
149.06.23	166.02.18		-25.10.23
116.04.01	141.11.16		-27.06.19
	127.08.25		-53.05.09

고구려 전체(8개)
(후한/고구려공통 6)+
(후한/신라/고구려공통 2)

신라 전체(16개)
(후한/신라공통 7)+
(후한/신라/고구려공통 2)
(신라/전한공통 7)

전한 전체(43개)
(전한 단독 36)+
(신라/전한 공통7)

전한 단독 36개			
14.04.18	-28.01.05	-95.02.23	-146.11.10
1.06.10	-39.07.31	-111.06.18	-149.01.22
0.06.20	-41.03.28	-121.07.09	-153.04.05
-11.01.26	-55.01.03	-122.01.23	-177.12.22
-12.08.31	-67.02.13	-126.04.06	-177.01.02
-13.03.18	-79.09.20	-133.08.19	-180.03.04
-15.11.01	-83.12.03	-137.11.01	-187.07.17
-23.04.07	-88.09.29	-142.08.28	-197.08.07
-24.04.18	-92.12.12	-143.09.08	-204.12.20

진 단독 (1개)	동주/진 공통(6개)	동주 단독 (2개)	동주/노 공통(33개)	
-247.04.24	-299.07.26	-396.04.21	-480.04.19	-558.01.14
	-368.04.11	-734.11.30	-494.07.22	-573.10.22
	-374.02.18		-497.09.22	-574.05.09
	-381.07.03		-504.02.16	-598.03.06
	-408.06.01		-510.11.14	-600.09.20
	-441.03.11		-517.04.09	-611.04.28
			-519.11.23	-625.02.03
			-520.06.10	-647.04.06
			-524.08.21	-654.08.19
			-526.04.18	-663.08.28
			-534.03.18	-667.11.10
			-545.10.13	-668.05.27
			-548.06.19	-675.04.15
			-549.01.05	-694.10.10
			-551.08.20	-708.07.17
			-552.08.31	-719.02.22
			-557.05.31	

진 전체 (7개)
(진 단독 1)+(동주/진 공통 6)

노나라 전체 단독 (33개)

주나라(동주) 전체 (41개)
(동주 단독 2)+
(동주/진 공통 6)+
(동주/노 공통 33)